Ce livre est dédié à

Monique Moisan
pour sa complicité indéfectible

par

Colette Chabot

7 février 2012

PIERRE **DEAUDELIN**

De la même auteure :

Pierre Péladeau, biographie,
Montréal, Libre Expression, 1986.

À moitié sage, essai,
Montréal, Les Éditions Quebecor, 1997.

LE SUCCÈS
Made in China

L'intelligence
de l'enfant qui
ne savait
ni lire ni écrire

PIERRE **DEAUDELIN**

Colette Chabot

Les Éditions
de la Francophonie

Révision et mise en pages : Robert Charbonneau
Couverture : Daniel Campanelli
Photo de la couverture : Marc Legros
Photo de l'auteure : Hélène DeSerres
Production et distribution : Les Éditions de la Francophonie
55, rue des Cascades
Lévis (Qc) G6V 6T9
tél. : 1 866 230-9840 • 1 418 833-9840
courriel : ediphonie@bellnet.ca
www.editionsfrancophonie.com

ISBN 978-2-89627-272-3

Dépôt légal – 3e trimestre 2011
Bibliothèque et Archives Canada
Bibliothèque et Archives nationales du Québec

Table des matières

Remerciements

Je voudrais remercier Marcel Deaudelin pour sa mémoire exceptionnelle. Sa collaboration à la biographie de son neveu apporte aux lecteurs une meilleure compréhension de la personnalité du grand-père Elphège Deaudelin. Grâce à lui, le lecteur comprendra davantage le climat social d'une époque qui a présidé à l'évolution de la firme Hudon & Deaudelin.

Jean-Guy Deaudelin, pour les photos de famille.

La famille Rudolph et les épouses de Paul et de Jacques.

L'équipe de direction de Transbec : Dominic Deaudelin, Philippe Desjardins, Kevin Fleury et Bernard Lachance.

Michel Deaudelin et son épouse Laurette Noël.

Michel Comtois – Dominic et Rocco Arcaro – Michel André.

Geneviève Chaput, qui m'a permis de mieux comprendre la dyslexie.

Nicole Lapointe, pour son soutien et la qualité de son français.

Véronique et Francis Deaudelin.

Vincent Trudel.

Mon frère Gaétan, qui connaît mieux que moi le monde de l'automobile et son esprit.

Micheline Chalut.

Préface

Pierre Deaudelin : L'homme qui n'a pas peur d'avoir peur !

J'ai connu Pierre Deaudelin alors que j'étais président et chef de la direction de la compagnie Uni-Select.

Le développement de cette compagnie, qui enregistrait 200 millions de dollars de chiffre d'affaires en 1991, a connu une croissance organique, c'est certain, mais elle a aussi prospéré par acquisitions. C'est dans cette perspective que j'ai rencontré pour la première fois Pierre Deaudelin.

Uni-Select voulait acheter la compagnie Transbec, qui avait le vent dans les voiles.

Jusqu'en 2006, je n'ai jamais cessé de solliciter Pierre Deaudelin afin qu'il vende son entreprise à notre groupe.

Notre goût partagé pour la bonne bouffe et les bons restaurants qu'il sait découvrir et partager avec ses amis devait ultimement nous réunir assez régulièrement.

J'ai mieux connu et compris Pierre Deaudelin quand j'ai cessé de m'attarder aux mots qu'il exprimait et que je me suis ouvert à sa dimension réelle, celle qui dépasse les phrases pour dévoiler l'expression du cœur.

Pierre Deaudelin est un homme entier, naturel.

C'est un autodidacte qui ne cessera jamais de nous surprendre. Il a toujours voulu épater son père, être reconnu par celui-ci, sans jamais, semble-t-il, y parvenir. Cependant, depuis plusieurs années, il a réussi à surprendre toute l'industrie dans laquelle il évolue. Il en a rapidement compris les règles du jeu pour y faire entrer les siennes.

Le fait qu'il soit un *survivor* en a fait un féroce compétiteur, puisqu'il a bâti lentement et sûrement en devenant le complice à la fois de ses clients et des manufacturiers. Il a développé, au fil des ans, une connaissance intime de l'Orient que les exégètes et les grands industriels auront de la difficulté à atteindre.

Pierre Deaudelin est un homme de cœur, une « belle âme ».

Je souffrais d'insuffisance cardiaque depuis un moment quand j'ai été admis à l'Institut de cardiologie de Montréal pour recevoir un « nouveau cœur ».

Pierre Deaudelin est venu me rendre visite à plusieurs reprises. C'était plus qu'une visite de courtoisie, puisque, même le jour de Pâques, il s'est déplacé pour me saluer, pour me faire rire et même pour « philosopher ». Puis, j'ai appris qu'il avait fait un don de 25 000 $ au Centre des greffés du cœur.

L'amitié de Pierre Deaudelin est quelque chose de très précieux.

Bien qu'il se fût senti perdant, très tôt dans sa vie, parce qu'il n'arrivait pas à apprendre à lire et à écrire, il est un témoignage vivant de l'intelligence du cœur. Aucune université de ce monde ne pourra décerner un diplôme reconnaissant cette intelligence-là ! C'est pourtant de cette intelligence que nous avons besoin en cette période de grande transformation à l'échelle planétaire.

Puisse ce livre donner confiance à tous ceux qui se dévalorisent parce qu'ils n'ont pas les aptitudes intellectuelles pour fréquenter les grandes écoles ou les universités. S'ils savent rester à l'écoute de leur cœur, ils reconnaîtront leurs aptitudes, auront la force et le courage de les développer dans un domaine donné et sauront, à l'exemple de Pierre Deaudelin, se dépasser constamment en nous permettant de vivre dans l'étonnement et l'abondance.

Jacques Landreville *

* Jacques Landreville a un profil de carrière bien différent de celui de Pierre Deaudelin. Fils d'un épicier-boucher de l'Estérel, il a été le chauffeur, le garde du corps et le professeur d'équitation de Fridolin Simard, le fondateur de la ville d'Estérel. Il retourne aux études et obtient un baccalauréat de HEC Montréal puis une maîtrise de l'Université de Sherbrooke et devient le responsable de l'enseignement à la maîtrise. Il sera par la suite « repêché » par de grandes compagnies comme Humpty Dumpty, Lassonde, Culinar et Uni-Select, où il siège toujours au conseil d'administration.

Avant-propos

J'ai rencontré Pierre Deaudelin, tôt le matin, à la piscine d'un immeuble situé dans une toute petite presqu'île qui sépare, par les jeux de la rivière des Prairies, Laval de Montréal.

C'était un dimanche du mois d'août 2009. Depuis quelques semaines, ma pensée s'agitait autour de mon avenir professionnel.

Ce matin-là, je n'étais pas seule à barboter dans l'eau. Je demandai à un homme qui m'a semblé assez corpulent :

– Habitez-vous ici ?

Il m'a fait signe que oui de la tête, puis il m'a demandé :

– Êtes-vous la dame qui écrit ?

Petit-fils d'Elphège Deaudelin, *self-made-man,* il se demandait si le récit de sa vie était susceptible d'intéresser des lecteurs.

Je lui ai demandé s'il avait lu *Péladeau,* la biographie de mon premier patron de presse. Il m'a répondu :

– Je ne sais pas lire ni écrire.

Pour masquer mon étonnement, je lui ai parlé du sénateur Jacques Demers, de Churchill, de Bill Gates et de tant d'autres qui ont connu, eux aussi, de terribles ennuis scolaires.

Puis, je l'ai questionné un peu sur sa vie, lui ai demandé ce qu'il voulait partager avec les lecteurs.

– Je ne sais ni lire ni écrire, m'a-t-il répondu, et je voudrais que les jeunes qui ont des difficultés sachent que, lorsqu'on ne sait pas certaines choses que tout le monde peut apprendre, on peut développer d'autres aptitudes.

Comme j'allais sortir de la piscine, monsieur Deaudelin m'a demandé :

– Avez-vous un crayon ?

J'ai répondu en riant :

– Jamais à la piscine !

Il est sorti de l'eau, a revêtu un long kimono que j'ai cru d'origine japonaise, mais qui devait, comme je l'ai appris plus tard, avoir été fait sur mesure en Chine.

– Attendez-moi ! Je vois que ma femme de ménage est sur sa terrasse.

Puis, il est revenu rapidement avec un papier sur lequel étaient écrits son nom et ses numéros de téléphone :

– Téléphonez-moi afin que l'on se rencontre dès que possible !

L'année 2009 avait été, pour moi, particulièrement difficile sur le plan professionnel. J'avais été engagée en avril 2008 par Les Productions Avantages pour écrire le projet d'un documentaire sur *La quête du bonheur*.

Douze jeunes Québécois, d'origine et de culture différentes – parrainés par Jean-Marie Lapointe et Steve Sims –, s'exerçaient à la maturité humaine jusqu'à se rendre en novembre 2009 à Dharamsala pour échanger sur le sujet avec le dalaï-lama.

Ce projet magnifique enseigna à notre équipe que le bonheur, la maturité humaine devaient passer par la mort inattendue de notre producteur, Guy-Jean Dussault (47 ans), survenue le 18 avril 2009. Atteint d'une leucémie foudroyante, il fut emporté en moins d'une semaine.

La succession légale a interrompu le projet. Les employés de la maison de production avaient droit au chômage. Pas les autres. Nous étions plusieurs contractuels à nous retrouver, du jour au lendemain, à la case « départ ».

Je comptais informer quelques maisons d'édition que j'étais disponible pour faire l'écrivain fantôme. C'est-à-dire écrire le livre d'une personne qui a quelque chose à dire, mais dont l'écriture n'est pas le métier. On appelle aussi « nègre » le professionnel de l'écriture qui s'effacera pour respecter le caractère et les propos d'une personne qui, généralement, a réussi dans la vie en excellant dans un domaine ou un autre.

Inutile de vous dire que je n'ai pas pris vraiment au sérieux l'invitation de Pierre Deaudelin à écrire sa vie.

Néanmoins, j'avais promis de lui téléphoner, lui précisant, dès la première rencontre, qu'on ne savait pas toujours, lors d'un premier contact, si on était en présence d'un livre, d'une histoire à raconter qui rejoindrait les lecteurs, les lectrices.

Il m'a dit qu'il avait rencontré un poète de la rue, à Ahuntsic. Un homme en fauteuil roulant à qui il avait demandé d'écrire sa vie. Cette tentative s'était terminée par une boutade de part et d'autre.

Puis, il m'a parlé de son grand-père, Elphège Deaudelin, à l'origine d'une importante firme agroalimentaire au Québec, la compagnie Hudon & Deaudelin. Il m'a parlé de l'enfant qu'il était et de l'amour de son grand-père qui l'a sauvé, porté et encouragé à accomplir son destin d'entrepreneur.

Dès les premières rencontres, j'ai réalisé que cette biographie serait bien différente de celle de Pierre Péladeau, le fondateur de Quebecor. Cependant, je décelais chez Pierre Deaudelin la même énergie vive, puissante, celle qui s'apparente à l'expression des « desperados ».

C'est cette énergie–là qui a permis à tout un peuple non seulement de survivre, mais de se développer et de créer la richesse.

Voici l'histoire de Pierre Deaudelin.

Colette Chabot, avril 2011, Laval

Mise en route

Il y a des millions de véhicules sur les routes du Québec. Si vous conduisez une voiture âgée de plus de quatre ans, il se pourrait bien que, sans que vous le sachiez, une ou des pièces de votre voiture proviennent de la compagnie de distribution Transbec, dont le siège social est à Laval, au Québec.

Transbec est, en effet, la plus importante compagnie indépendante de distribution de pièces d'auto au Canada, et probablement l'une des majeures dans ce domaine en Amérique du Nord.

En ce moment, 200 usines en Chine travaillent à produire plus de 16 000 pièces différentes pour la compagnie Transbec.

Le fondateur de cette compagnie, Pierre Deaudelin, a suivi le conseil de son grand-père, Elphège : il est au service de la classe moyenne.

– Les riches n'ont pas besoin de pièces d'auto. C'est la classe moyenne qui est importante pour nous !

Voilà 35 ans que la compagnie Transbec permet à ses clients d'acheter des produits de qualité à un prix qui défie toute compétition.

Depuis 1982, cette compagnie est arrivée à réduire les prix des pièces d'autos en supprimant plusieurs intermédiaires qui ajoutaient leurs frais aux coûts de fabrication, enrichissant ainsi leurs actionnaires et leurs dirigeants.

Aujourd'hui, Transbec distribue ses pièces non seulement en Amérique du Nord, mais aussi en Europe de l'Est.

En 1982, la compagnie de Pierre Deaudelin vendait 4 000 pièces d'automobiles. Aujourd'hui, elle en vend plus de 16 000 différentes, rajoutant au fil des ans d'autres produits à sa gamme première.

En 2010, en pleine incertitude économique, Transbec construisait un entrepôt d'une superficie de 15 000 pieds carrés à Toronto : cette surface vient s'ajouter aux 163 000 pieds carrés du siège social, à Laval.

Pierre Deaudelin ne sait pas lire. Ni écrire !

Voici le récit de la vie d'un bâtisseur qui ne répond à aucun profil psychologique connu et encore moins à une quelconque stratégie d'affaires, même celles enseignées ou analysées par les professeurs les plus réputés des meilleures universités nord-américaines.

Cette histoire vraie est celle d'un desperado québécois qui a bâti un empire en Chine.

PREMIÈRE PARTIE

Les origines

1

Élevé dans une usine d'entrepreneurs

Il était un enfant pas comme les autres. Il ne savait ni lire ni écrire. Et il savait qu'il n'apprendrait jamais !

Atteint de myopie importante, il demandait régulièrement à l'institutrice la permission de s'asseoir en avant parce qu'il ne pouvait voir ce qui était écrit au tableau.

– Deaudelin, t'es le plus grand de la classe, tu restes assis en arrière ! lui a répondu plus d'une fois la maîtresse d'école.

Le petit Pierre était dyslexique. Dans les années 1950, au Québec, on ne savait pas encore que certains enfants souffraient de troubles d'apprentissage.

La plupart des familles québécoises vivaient dans le mode « survie ». Celle des Deaudelin autant que les autres. Même si le grand-père, Elphège, était un entrepreneur ambitieux et vindicatif. Celui qui a posé les premiers jalons de l'une des plus importantes compagnies d'alimentation au

Québec, la compagnie Hudon & Deaudelin, était le fils d'un fermier des Cantons de l'Est.

En 1940, il avait racheté la terre paternelle à Roxton Falls, dans le comté de Shefford, surtout pour protéger son fils aîné de la guerre.

Quand ils cultivaient la terre, les hommes en âge d'être « enrôlés » dans les Forces armées canadiennes en étaient dispensés.

En 1916, le vaillant Elphège Deaudelin débarque à Montréal. Il travaille très fort et saisit les rudiments de son métier dans l'agroalimentaire, avec ses cousins, les Normandin.

Quelque 18 mois plus tard, il mettra sur pied sa propre entreprise de vente au détail. Il vendra des œufs, du beurre et du fromage qu'il livrera de porte en porte.

En 1930, son premier entrepôt était situé dans le sous-sol de sa maison, au 8066 de la rue Casgrain, dans le quartier Villeray, à Montréal.

Le 18 septembre 1921, il avait épousé Dorilla Fontaine, une Américaine parfaitement bilingue, née au Connecticut.

Les deux époux partageaient la même passion pour l'argent. Pierre Deaudelin dit lui-même, en riant, de sa grand-mère paternelle : « Elle regardait Séraphin à la télévision et elle le trouvait trop dépensier ! »

Le premier camion du marchand d'œufs, de beurre et de fromage à l'origine de l'entreprise de Hudon et Deaudelin (1926).

La première maison d'Elphège Deaudelin à Montréal. Située au 8066, rue Casgrain, le commerce est au sous-sol. Pierre Deaudelin est né à l'étage, où ses parents étaient logés.

Elphège Deaudelin et son épouse Dorilla Fontaine, née aux États-Unis.

Le grand-père, Elphège Deaudelin, et sa première voiture en 1920.

De leur union, deux filles sont nées : Claire, l'aînée, et Denise, pour clore la famille. Entre ces deux filles, Dorilla et Elphège ont aussi donné naissance à trois fils : Jean-Guy (1925), Marcel (1926) et Robert (1928).

Dès l'adolescence, les enfants de Dorilla et d'Elphège seront mis à l'œuvre pour bâtir l'entreprise familiale. Il n'était pas rare de les voir travailler le midi, au retour de l'école, alors que les autres enfants prenaient le temps de manger et même de jouer dehors. Les fils d'Elphège étaient également mis à l'ouvrage dès le retour de l'école, le soir.

C'est en quelque sorte dans un climat d'urgence qu'Elphège a donné naissance à une pépinière d'entrepreneurs.

En grandissant, ses fils Jean-Guy et Marcel ne furent soumis qu'en apparence à leur père. Si celui-ci refusait de vendre des cigarettes, Jean-Guy, déjà marié à l'âge de 22 ans et déjà propriétaire de sa maison, rue de Gaspé, avait son propre commerce. Avec son épouse Jeannine, il vendait des cigarettes dans le sous-sol de sa maison.

Marcel, lui, avait acheté, peu de temps après son mariage en 1951, une maison au 8052, rue Casgrain et, en marge de l'entreprise de son père, il avait lancé sa compagnie de produits sanitaires.

De gauche à droite : Maurice Richard en compagnie de Robert Deaudelin, du maire de Montréal-Nord, Yves Ryan, de Marcel Deaudelin et de Jean-Guy Deaudelin.

Le père de Pierre Deaudelin, Robert, travaillait à la réception de la marchandise et vivait au-dessus de l'entreprise familiale, après avoir épousé Cécile Rudolph, la fille d'un immigrant allemand.

C'était un homme timide qui avait de la difficulté à s'exprimer et à se défendre. Il a dû se sentir un peu écrasé non seulement par son père, mais aussi par ses deux frères, qui étaient audacieux et débrouillards.

La famille Deaudelin travaillait sept jours sur sept… comme tout le monde autour d'Elphège qui voulait toujours tout obtenir pour hier.

Cet homme était un véritable feu roulant, occupé à saisir toute occasion d'affaires qui se présentait dans le domaine de l'alimentation.

À cette époque, dans cette famille comme dans bien d'autres, les rôles entre les hommes et les femmes étaient très clairs : les femmes faisaient des enfants (de préférence des fils) et les élevaient à peu près toutes seules parce que les hommes travaillaient tout le temps pour nourrir la nichée.

À moins qu'ils ne deviennent rapidement les esclaves, plus ou moins, du père dans l'entreprise dite « familiale ».

Pourtant, la seule chance du petit Pierre a été d'habiter au-dessus de l'entrepôt du grand-père.

Il ne l'a pas ratée.

2

Jamais d'anges ni d'étoiles !

Il y a une faille en tout.
C'est par là que la lumière peut pénétrer.

Leonard Cohen

À l'âge de cinq ans, Pierre Deaudelin travaillait déjà. Il mirait des œufs dans l'entrepôt de son grand-père. Avec une lampe, il examinait chaque œuf, rejetant ceux qui contenaient du sang et qui étaient donc impropres pour le commerce au détail. Les œufs cassés, eux, étaient récupérés pour être vendus à la pinte.

Pierre admirait son grand-père. Celui-ci le lui rendait bien et se sentait sans doute plus proche de son petit-fils que de ses fils, sur lesquels il exerçait une autorité extrême.

Bientôt, il commença l'école. Contrairement aux autres, il ne recevait jamais d'anges ou d'étoiles pour ses devoirs et ses leçons.

– J'aurais aimé bien paraître, raconte-t-il. Mais rapidement, j'ai éprouvé beaucoup de difficultés à

Pierre Deaudelin à l'âge de cinq ans (à droite), en compagnie de son frère Michel.

l'école. Sans mon grand-père, je serais probablement un itinérant, aujourd'hui.

Pierre et ses frères Michel et Marc-André n'ont jamais connu une mère bien portante. Ils se souviennent cependant des repas aussi abondants que créatifs qu'elle préparait, notamment au temps des Fêtes, pour réunir les deux familles, la sienne et celle de son mari.

Affligée par la dépression, elle est devenue, peu de temps après son mariage, dépendante des « tranquillisants ».

Cette maman-là dormait le jour ou visitait des médecins pour obtenir de nouveaux médicaments qui anesthésieraient son mal de vivre. Quand ce n'était pas l'ambulance qui était à la porte pour la transporter d'urgence à l'hôpital sur une civière.

C'est ainsi que petit Pierre a appris tôt à faire la cuisine et à faire face à la vie.

J'ai rencontré quatre personnes de la génération de Cécile Rudolph qui m'ont raconté la jeune fille qu'ils ont connue : belle, sensible, généreuse et douée pour la musique et l'écriture. Elle aimait vivre sur la ferme que son père, Joseph Rudolph, avait achetée à Sainte-Thérèse pour nourrir ses 15 enfants. Elle aimait les fleurs, les fruits et les légumes. Elle avait aussi une bonne plume qu'elle mettait au service de ses proches afin qu'ils puissent exprimer leurs sentiments et leurs émotions ou encore afin de rétablir les faits quand il y avait un litige entre amis ou voisins.

Si le grand-père du petit Pierre, Elphège Deaudelin, est un personnage haut en couleur, son grand-père maternel, Joseph Rudolph, tire son origine d'une histoire qui ne manque pas de relief.

Le grand-père maternel

Débarqué au Québec, à l'âge de 12 ans, au bras de son oncle qui voulait racheter l'honneur de la famille Rudolph en Allemagne, le seul mot qu'il savait dire à l'épicerie était : « baloney ».

Cet enfant était le « bâtard » (comme on le disait à l'époque) du comte Jacques de Lambel, qui troussait les domestiques du château de Nancy. Il semait à tout vent sans se soucier de l'avenir de sa progéniture.

La famille Rudolph, selon les mœurs de l'époque, a tenté de cacher le scandale. C'est ainsi que le frère aîné de la jeune maman honteuse a pris le bateau pour le Nouveau Monde avec le fils de sa sœur, qui passerait désormais pour son fils. De cette manière, l'honneur de la famille serait racheté dans le village du pays où il est né.

Quand ils sont arrivés au Québec, l'oncle et le neveu se sont d'abord installés à Verdun. La caissière de l'épicerie du quartier, de quelques années l'aînée du petit Joseph Rudolph, s'est éprise spontanément de cet enfant. C'est elle qui fut la première à lui enseigner la langue française.

Quand il n'y avait pas de clients dans le modeste commerce du quartier, elle lui montrait du doigt, sur les étagères… le pain, les gâteaux, les biscuits, les boîtes de conserve, etc., en prononçant pour lui les noms de ces articles.

En grandissant, Joseph Rudolph s'est épris à son tour de la belle caissière de cc marché d'alimentation, où l'on ne vendait pas encore des fleurs.

Puis, quand il a su parler suffisamment le français, il l'a demandée en mariage.

Ils vécurent heureux et eurent 15 enfants.

Le bonheur n'est pas forcément un héritage de naissance.

Un malheureux mariage

Cécile Rudolph a connu Robert Deaudelin par l'entremise de ses frères. Si les fréquentations ont pu être un tant soit peu romantiques, le mariage, béni en septembre 1951, allait rapidement tourner à l'amère déception pour la jeune fille sensible et peu habituée à faire face à la vie seule.

Élevée par des parents bienveillants, entourée et soutenue par tant de frères et de sœurs sur la ferme où elle a grandi, elle s'est retrouvée seule avec un mari qui travaillait tout le temps et qui ne venait chez lui que pour manger, repartant immé-

Robert Deaudelin, le père de Pierre, en compagnie de Maurice Richard.

À côté de leur ami Maurice Richard et son épouse, Robert Deaudelin et son épouse Cécile Rudolph.

diatement après le repas. La passion amoureuse avait bien dissimulé que le bien-aimé ne communiquerait jamais avec elle. Ni avec ses enfants ! Car Robert Deaudelin ne savait pas entrer en relation en dehors de son travail.

Froid et distant, il travaillait sept jours sur sept. À cette époque, on se mariait quand on était en âge de le faire et sans se poser trop de questions. Et tout devait aller de soi, à l'exemple des parents qui campaient des rôles bien définis.

Pour Cécile Rudolph, âme sensible, tout n'allait pas de soi. La dépression n'était pas encore une maladie reconnue, comme elle l'est aujourd'hui. Elle ne pouvait donc être soignée adéquatement. Elle quémandait de l'aide auprès des médecins, des parents et des amis. Cependant, l'aide qu'elle sollicitait était davantage d'ordre médicamenteux. Elle « gelait » émotions et sentiments pour être, en quelque sorte, en phase avec ce mari qui semblait doué surtout pour établir des colonnes de chiffres.

On n'était pas très loin du temps où la profonde tristesse était considérée comme un péché. Une honte.

Les proches de Cécile Rudolph se souviennent du scénario invariable qui se déroulait quand elle venait avec ses enfants et son mari partager le repas du dimanche dans sa famille. Sitôt son repas avalé, Robert Deaudelin s'enfermait dans une pièce de la maison pour ne pas être dérangé : il faisait des calculs interminables au profit de l'entreprise de son père.

Les voleurs d'enfance

En 2005, le journaliste Paul Arcand réalisait un documentaire dont le titre était *Voleurs d'enfance,* faisant état de 25 000 signalements d'enfants abandonnés, violentés ou agressés sexuellement. C'est ainsi que l'on a appris que le Directeur de la protection de la jeunesse avait pris en charge, jusqu'à l'âge de 18 ans, 30 000 enfants.

Il y a 50 ans, au Québec, les parents étaient-ils plus qualifiés qu'aujourd'hui pour élever des enfants ?

La détresse psychologique, intellectuelle et familiale était pourtant tout aussi présente que dans les années 2000, mais la société ne s'en préoccupait pas. Le couvercle était bien vissé sur le bocal de chaque famille de l'époque.

Pierre Deaudelin aurait sans doute, avec les critères actuels, été pris en charge par la DPJ.

Encore aujourd'hui, Pierre Deaudelin souffre de la réaction qu'a eue son père quand, à sept ans, il lui a appris qu'un homme l'avait agressé sexuellement.

Un automobiliste l'avait fait monter dans sa voiture pour le remercier de lui avoir indiqué une adresse et il a profité du petit bonhomme jusqu'à ce que celui-ci puisse ouvrir la portière et s'enfuir à travers champs.

Cinquante ans plus tard, Pierre Deaudelin m'a dit :

– Je ne porte aucune séquelle physique de ce viol. Cependant, je porte encore en moi la réaction froide et sèche de mon père, qui s'est détourné de moi comme si je ne lui avais rien dit !

Par contre, il réalise aujourd'hui que son oncle Marcel lui a sans doute sauvé les oreilles. Alors qu'il se sauvait du pédophile en courant à travers champs, son oncle Marcel a réalisé que les oreilles de son neveu étaient toutes blanches.

– Il m'a vivement frictionné les oreilles avec de la neige, malgré le fait que je me débattais très fort. Imaginez, je venais d'être agressé sexuellement, et là, je me faisais chauffer les oreilles avec de la neige !

Livré à lui-même, Pierre Deaudelin a commencé à faire des affaires malgré ses piètres résultats scolaires. Même que les affaires ont été, dès son plus jeune âge, son refuge et sa valorisation.

Le vendeur d'œufs

Après sa deuxième année d'école, il confia à son grand-père Elphège son pénible secret :

– Grand-papa, je ne sais pas lire ni écrire et je ne suis pas capable d'apprendre.

– T'es comme moi, lui répondit le grand-père. Il va falloir que tu travailles à ton compte. Que tu sois le boss !

Quelques jours plus tard, petit Pierre dit à son grand-père qu'il était prêt à se lancer en affaires.

– Je vais prendre une caisse d'œufs et je vais aller les vendre de porte en porte.

– Il faut que tu me payes *cash,* dit le grand-père, parce que, en affaires, je ne te connais pas.

Petit Pierre avait économisé, depuis l'âge de cinq ans, tous les sous qu'il recevait pour examiner les œufs dans le sous-sol de son grand-père.

Il a cassé son cochon pour acheter de son grand-père sa première caisse d'œufs frais. Il a posé les 30 douzaines dans sa voiturette express et a sonné à quelques portes du voisinage pour les vendre, une douzaine à la fois, comme son grand-père l'avait fait avant lui.

Les portes se refermaient les unes après les autres. Petit Pierre était absolument découragé de s'être lancé en affaires. Il ne pouvait pourtant pas retourner chez lui avec tous ces œufs-là. Il ressentait déjà la honte qu'il éprouverait devant son grand-père, la seule personne qui lui accordait de l'importance et qui avait foi en lui.

Il s'est assis sur une marche d'escalier pour «réviser» – comme il le dit aujourd'hui – «son plan d'affaires». Il sécha ses larmes et sonna à une nouvelle porte de son quartier.

– Je viens livrer vos deux douzaines d'œufs! dit-il à la dame.

– Je n'ai pas commandé d'œufs! affirma-t-elle.

Au moment où elle allait refermer la porte, petit Pierre fondit en larmes.

– Cesse de pleurer, lui dit-elle, je vais les acheter, tes œufs!

C'est ainsi que petit Pierre inventa sa première stratégie de marketing.

Puis, à sa première cliente et à toutes les autres qu'il a rencontrées par la suite, il leur enseigna que ces œufs-là venaient directement de la ferme, qu'ils étaient bien frais, alors que, dans les épiceries, les œufs pouvaient être là depuis soixante jours et plus.

Il leur enseigna aussi comment reconnaître un œuf bien frais:

– Quand vous cassez la coquille et que le jaune est bien rond, c'est que l'œuf est frais. Quand il est à peu près plat, c'est qu'il est vieux.

Et c'est ainsi qu'en quelques heures petit Pierre non seulement avait vendu à profit ses 30 douzaines d'œufs, mais encore, il avait réussi à fidéliser sa clientèle, qui ne voulait plus que des œufs frais.

Elphège n'était pas peu fier de la première performance de son vaillant petit-fils.

Le lendemain, il l'a accompagné à la banque de son quartier pour lui apprendre comment ouvrir son premier compte.

Petit Pierre aimait tellement son carnet de banque et l'idée d'accumuler de l'argent qu'il lui arrivait d'aller déposer ses sous jusqu'à trois, quatre, voire cinq fois par jour. Il observait avec passion les lignes s'additionner dans son carnet bien à lui. Ainsi, il pouvait constater, d'heure en heure, que sa fortune augmentait.

Il ne se contentait pas seulement d'une fortune « virtuelle ». À toute heure du jour, il entrait à la banque de son quartier et demandait à une caissière de lui montrer « son argent » !

– La caissière ouvrait un tiroir et me montrait plein de monnaie. Ça me rassurait !

Le directeur de la Banque canadienne nationale de la rue Saint-Laurent téléphona bientôt au grand-père pour l'informer des pratiques de son petit-fils, qui dérangeait constamment les employés.

Des filles au secours de petit Pierre

La tête dans ses affaires et uniquement dans ses affaires, petit Pierre souffrait pourtant de devoir poursuivre ses études primaires, qui étaient obligatoires.

À cette époque, on ne mettait pas un enfant à la porte d'une école publique. Il fallait cependant trouver une solution pour que Pierre ne ralentisse pas l'apprentissage des autres.

C'est ainsi qu'on l'envoya à l'école Saint-Thomas, du côté des filles. Ses résultats scolaires se sont améliorés rapidement.

Encore aujourd'hui, il dit :

– Les filles, c'est bon ! Ça veut toujours aider. Elles s'installaient auprès de moi pour m'aider à faire mes devoirs. Très souvent, elles finissaient par les faire au grand complet !

Les mères de ses petites camarades de classe étaient bonnes, elles aussi. Elles l'accueillaient régulièrement dans leur foyer et lui servaient un bon goûter. Très souvent, elles l'invitaient à partager le repas du soir.

En hiver, réalisant que cet enfant était livré à lui-même, elles lui donnaient des tuques, des mitaines ou des gants afin de le protéger du froid.

Il s'empressait de les revendre pour grossir son capital.

Puis, il découvrit bientôt comment, à son tour, il pourrait rendre service à ses petites copines pour les remercier de leur soutien.

Les garçons de l'école voisine s'amusaient à lancer des boules de neige aux petites filles. Elles se défendaient maladroitement, si bien qu'elles avaient souvent mal et pleuraient beaucoup.

C'est ainsi que Pierre décida de devenir leur protecteur.

– Demain, leur dit-il, apportez chacune une chaudière et on va décourager définitivement ces petits maudits-là de s'attaquer à vous autres.

Il leur apprit à faire des boules de neige bien tassées, bien solides qu'elles plongeaient dans l'eau contenue dans leur petit seau. Pendant l'heure des cours, les boules de neige durcissaient ; ainsi, à l'heure de l'affrontement, elles lanceraient des boules de glace.

À la sortie de l'école, cette journée-là, les garçons attendaient les filles, comme à l'accoutumée, pour les narguer, les intimider et affirmer leur suprématie.

Quelle ne fut pas leur surprise de recevoir, contre une boule de neige molle, une boule de neige si puissante qu'elle les jetait par terre et les découragerait à jamais de recommencer !

Cette complicité avec les filles, apprise dès son jeune âge, allait profiter à Pierre Deaudelin pendant toute sa vie.

Si la vie de famille du petit Pierre se déroulait dans un désert affectif, les circonstances allaient lui fournir plus tard d'autres sources d'inspiration, d'autres réalités que celles qu'il avait connues jusqu'à ce jour.

Quelque temps avant ses dix ans, sa mère vint le réveiller, en pleine nuit. Elle tenait sa petite valise à la main et lui dit :

– Je suis trop malade pour te garder. Il va falloir que je te donne !

Un été en Gaspésie

C'est son grand-père maternel, Joseph Rudolph, qui a pris le bambin et le reconduisit à Petite-Anse, dans le canton de Cloridorme, en Gaspésie.

Si, à Montréal, petit Pierre avait commencé à faire ses lois, ne se laissant plus intimider par ceux qui riaient de lui, il devait apprendre d'autres règles, et d'autres valeurs aussi, dans ce pays immense qui longe la mer sur des kilomètres et des kilomètres.

Pierre Deaudelin a commencé jeune à s'adapter aux circonstances, au climat ambiant et aux gens. Il a ainsi développé une forme d'intelligence assez exceptionnelle qui lui permet non seulement de ressentir les gens qu'il rencontre, mais encore de pressentir comment tel ou tel individu se comportera dans un environnement particulier.

Il ne savait ni lire ni écrire, mais une intelligence instinctive s'est développée pour suppléer à l'intelligence intellectuelle, valorisée en milieu scolaire.

Il m'a souvent répété, relativement à ses difficultés scolaires :

– Il faut absolument que vous écriviez que, lorsqu'un enfant est différent, qu'il n'a pas de facilité d'apprentissage pour quelque chose, il développe autre chose ! Certains jeunes d'aujourd'hui éprouvent les mêmes difficultés que j'ai connues à l'époque. Ces troubles de l'apprentissage sont connus aujourd'hui et plus rapidement diagnostiqués. Les enfants sont mieux encadrés, plus soutenus. Je voudrais que votre livre témoigne du fait qu'un enfant ne doit jamais perdre espoir. Car la vie, si elle ne donne pas tel ou tel talent, par exemple pour la lecture et l'écriture, donne d'autres talents, d'autres aptitudes, pour que chacun puisse faire face à son destin.

En Gaspésie, Pierre Deaudelin est débarqué dans une famille de pêcheurs. Dans la cuisine de madame Huet, il y avait neuf chaises berçantes. Chacun avait la sienne. Lui aussi, même s'il venait d'arriver.

Pour le petit Montréalais du quartier Villeray, la Gaspésie, c'était un autre pays. Une nature immense, à la fois belle et capricieuse qui dépendait de la lune et du soleil, soumettait chacun à son rythme. C'était un décor bien différent de celui qu'il avait connu dans le sous-sol de la maison de son grand-père et avec des parents qui parlaient seulement pour exprimer les besoins du moment.

Chez les Huet, il a goûté à la chaleur d'un foyer et à la joie de vivre. Chacun racontait son histoire de la journée, les siennes et celles des voisins.

Toute la vie était ponctuée par les dimanches. Après une semaine de labeur... tout le monde « s'endimanchait ». Plus personne n'était pêcheur, fermier, boulanger ou épicier. Les hommes portaient chemises blanches et complet-veston pour aller à l'église. Les filles et les femmes étaient belles, et le repas était toujours un festin.

Chaque jour, Pierre vivait dans un état d'étonnement et de joie.

– Un jour, on a pêché une morue de 52 livres, dit-il, encore tout émerveillé aujourd'hui.

C'est là qu'il a découvert que la vie pouvait être remplie d'amour, de coopération, de complicité, de créativité et... de rires.

Son grand-père, Joseph Rudolph, avait accompagné son petit-fils dans une famille qu'il avait connue par hasard, alors qu'il faisait le tour de la

Gaspésie avec sa femme, pendant ses vacances des ateliers Angus, où il a travaillé pendant toute sa vie.

Comme les relais routiers et les dépanneurs n'existaient pas à l'époque, il était fréquent que les touristes s'arrêtent et frappent aux portes des maisons pour demander des instructions pour la route ou encore simplement pour boire de l'eau ou pour aller aux toilettes.

Joseph Rudolph, cette année-là, s'était arrêté chez les Huet pour demander de l'eau. Les Huet l'ont accueilli chaleureusement. Mais quelle ne fut pas sa surprise de constater que cette maison n'avait pas l'eau courante !

Il fallait, en effet, aller dehors pour tirer l'eau du puits.

Joseph Rudolph, qui avait grand cœur, téléphona chez lui, à Sainte-Thérèse, en banlieue de Montréal, et fit descendre deux de ses fils, qui étaient plombiers. Les fils Rudolph sont arrivés à Petite-Anse et, en quelques heures, ils ont fait entrer, l'eau « courante », dans la grande cuisine des Huet. Avec toute une robinetterie aussi impressionnante que rare, très rare, dans ce village.

C'est un peu comme si Dieu et le père Noël s'étaient réunis, cette journée-là, pour combler la famille Huet de la grâce et d'un cadeau exceptionnel dont on a parlé, dans les chaumières, pendant des mois et des mois.

Des années plus tard, quand Joseph Rudolph a demandé à la famille Huet si elle voulait bien accueillir le petit Pierre pour l'été, parce que sa fille Cécile était très malade, la réponse affirmative fut spontanée.

Enfin, c'était un privilège que de rendre service à un bienfaiteur !

C'est dans ce climat-là que petit Pierre a été reçu dans une famille gaspésienne… de souche.

La magie de la bienveillance devait se poursuivre, puisque le petit Pierre a besoin de donner. Il s'applique depuis qu'il est né à ne pas décevoir.

Avec ses parents d'origine, il vaut mieux oublier… l'histoire.

Cependant, ses grands-pères, autant paternel que maternel, tissent déjà son histoire affective qu'il entretiendra, tel un feu intérieur, pendant toute sa vie.

Marchand de bateaux d'écorce

Pierre Deaudelin a besoin de donner, de servir, d'être utile. C'est une motivation organique, biologique, chez lui.

Le père Huet, dans la famille où il est débarqué, fabriquait et vendait aux touristes, pendant l'été, des petits bateaux d'écorce.

Petit Pierre allait contribuer, cet été-là, à l'essor financier du père Huet en mettant son expérience du commerce au détail à profit.

La maison des Huet était située en haut d'une colline. Tous les jours, le père Huet descendait la côte pour installer son petit établi, tout en bas de sa maison, sur le bord de la route.

Petit Pierre réalise rapidement que les voitures ont de la difficulté à stopper dans un virage aussi serré.

Bien décidé à se rendre utile, il a installé le chapiteau de fortune et le père Huet dans un lieu plus accessible afin que les voitures puissent stationner sans risque.

Puis, il devient lui-même une affiche vivante de bateaux d'écorce qu'il exhibe dès qu'il voit poindre une voiture. Il montre aux touristes les œuvres de monsieur Huet tout en leur indiquant où stationner.

Ce jour-là, tous les souvenirs furent vendus aux touristes.

Quand madame Huet est sortie sur la galerie pour prendre des nouvelles du commerce, elle entendit son mari crier, du bas de la côte :

– On a tout vendu. On a fait 100 $!

– Je l'savais, je l'savais ! s'est-elle exclamée de joie. C'est le Bon Dieu qui nous a envoyé ce petit bonhomme-là !

Ce même été, Pierre s'est épris de Marie-Hélène, la fille de la maison, de quelques années son aînée. Elle était belle, souriante, avenante. C'est au cours de cet été-là qu'il a ressenti ses premiers émois amoureux.

Avec beaucoup de réserve, cependant, puisque les frères veillaient sur leur sœur. Ils étaient plus grands, plus vieux et plus forts que lui. La loi du plus fort n'a pas besoin d'être écrite pour être respectée dans toutes les régions du monde.

La rentrée scolaire à Montréal

La rentrée scolaire a ramené le petit Pierre à Montréal. La vie a repris son rythme hors des grands espaces de la Gaspésie.

Pendant des semaines et des mois, il a rêvé, autant la nuit que le jour, quand il était dans la lune, que les Huet venaient le chercher pour l'emmener en Gaspésie. Pour toujours !

– Je m'étais senti aimé et utile, dit-il encore aujourd'hui.

À Montréal, il a retrouvé son compte en banque. Le commerce, les affaires ont été sa survie, sa consolation, sa valorisation pendant toutes ses années d'école. Il devait s'adapter, inventer, développer… selon les besoins qu'il entrevoyait.

Une clientèle captive

En grandissant, il ne se contentait plus d'être seulement un vendeur d'œufs, un livreur de commandes pour l'épicier du coin ou un vendeur de bouteilles vides.

À l'âge de 12 ans, il savait déjà ce qu'était un marché captif. Son grand-père Elphège lui en avait déjà parlé.

C'est ainsi qu'il s'est mis à vendre aux détenus de la prison de Bordeaux, au travers des clôtures, des cigarettes à dix cents l'unité. Bientôt, pour continuer, pour développer et entretenir son réseau d'acheteurs, il a réalisé qu'il devait acheter le silence des gardiens. Il leur donnait donc un paquet entier de cigarettes. Ce qui devait augmenter le coût de la cigarette, au détail, pour chacun des prisonniers.

Ils n'ont pas aimé ça. Ils ont protesté ! Même que, un jour, un prisonnier l'a traité de voleur !

– C'est pourtant toi qui es du mauvais côté de la clôture ! lui a répondu Pierre.

Plus grand que les enfants de son âge, Pierre a continué de grandir entre une mère toxicomane et un père froid et distant. Toujours inspiré, cependant, par son grand-père Elphège, qui savait saisir toute occasion qui se présentait à lui.

Même les contradictions de ce dernier l'amusaient secrètement. Ainsi, si Elphège refusait de vendre des cigarettes parce qu'il était un commerçant « de fromage, de beurre et d'œufs », il n'a pas hésité à revendre de l'alcool dans son sous-sol.

Elphège était un homme dur. Même pour ses fils ! Peut-être même surtout pour ses fils. En décembre 1940, il n'hésita pas à les envoyer dormir dans un entrepôt réfrigéré afin que les dindes qu'il avait achetées – il y en avait pour 40 000 $ – soient protégées pour la revente avant Noël. Le grand but pour Elphège était le profit. S'il pouvait être drôle parfois, il ne donnait jamais dans la dentelle.

Un tableau signé par le führer canadien

Ami personnel de celui que le journaliste et auteur Jean-François Nadeau a surnommé « le führer canadien », Elphège Deaudelin a soutenu, dans la mesure de ses moyens, la femme et les enfants du célèbre Adrien Arcand pendant sa longue période d'« internement » au camp militaire de Petawawa, en Ontario.

Arcand ayant été arrêté à Montréal le 30 mai 1940 pour avoir comploté le renversement du gouvernement, sa femme et ses enfants se sont retrouvés sans ressources pour vivre. Elphège avec un fils ou l'autre allaient régulièrement porter des aliments à madame Arcand afin qu'elle puisse nourrir sa famille en l'absence de son mari.

Pour le remercier, Adrien Arcand a réalisé depuis sa prison, à partir d'une photographie, une peinture à l'huile d'Elphège Deaudelin. Ce tableau se retrouve aujourd'hui sur un chevalet de luxe que son petit-fils place dans son salon pour les grandes occasions.

Son frère Michel fait partie de la troisième génération des Deaudelin à travailler encore à l'entrepôt, qui a été vendu au Groupe Oshawa.

Son autre frère, Marc-André, est le non-conformiste, le *dropout* de la famille. C'est un artiste qui vit, si nécessaire, avec rien ou presque.

Pierre est le seul de sa génération à avoir continué la tradition d'entrepreneur, de bâtisseur de cette famille, ce dont ses oncles sont très fiers.

Lui dit plutôt qu'il n'avait aucun autre choix que de réussir en affaires, parce qu'il ne réussissait pas à l'école.

Le tableau du grand-père Elphège Deaudelin, peint par Adrien Arcand.

DEUXIÈME PARTIE

Le temps du changement

3

De père en fils

On va toujours trop loin pour ceux qui ne vont nulle part !

Pierre Falardeau

Quand Elphège Deaudelin a acheté, en octobre 1957, l'immeuble de la Dominion Preserving au 8422 de la rue Saint-Dominique (jusqu'alors, on y fabriquait les produits Habitant et la confiture Youville), l'entrepôt de E. Deaudelin inc. s'étendait alors sur une surface de 14 000 pieds carrés et était pourvu d'un stationnement de 100 pieds sur 70 pieds.

Ses fils ont grandi. Ils sont devenus des hommes d'envergure. Pressentant l'avenir, ils prennent des initiatives. Voilà que l'entreprise fondée par Elphège, commerçant de beurre, œufs et fromage, se retrouve avec des milliers d'articles à vendre.

S'il avait appris à ses fils à compter dès l'âge de 10 ans et à faire des chèques à peine plus tard, il était naturel que leurs dons et talents s'épanouissent pleinement à l'âge adulte. À la fin des années

Le premier entrepôt de E. Deaudelin, au 8422, rue Saint-Dominique.

1950, le Québec était en pleine effervescence. Une période d'abondance s'annonçait. Les fils Deaudelin étaient en mesure, plus que leur père, de faire face aux nouvelles règles du jeu.

– Ce n'était pas une évolution, exprime Marcel Deaudelin, qui a été non seulement témoin de cette époque, mais encore artisan et acteur de celle-ci. Ce n'était pas non plus une révolution. C'était un bond gigantesque jusqu'alors insoupçonné. Peu de choses du passé pouvaient nous servir pour l'avenir !

Elphège, né en 1891, s'était débrouillé tôt et avait traversé la crise de 1929, qui avait duré presque dix ans. Très orgueilleux, il ne voulait pas que l'on remarque qu'il avait peine à suivre.

Les fils dépassent le maître

La Révolution tranquille allait bouleverser toutes les règles du jeu en affaires et dans bien d'autres domaines encore. Si bien qu'à l'âge de 73 ans, en 1964, Elphège accepte de vendre à ses trois fils, qui avaient largement contribué à l'essor de l'entreprise familiale.

– À l'âge de 30 ans, j'avais déjà un bon bilan financier, raconte Marcel Deaudelin. J'étais déjà propriétaire d'une maison à Laval et d'une compagnie de produits sanitaires qui évoluait bien. Mon frère Jean-Guy, de son côté, était un homme crédible, financièrement et autrement. Nous sommes passés à la banque et nous avons obtenu un chèque certifié de 50 000 $ pour appuyer notre offre d'achat à notre père.

Marcel Deaudelin n'oubliera jamais le geste « d'affaires » de son père, ce jour-là :

– Il a élevé le chèque en direction de la lumière pour vérifier son authenticité. À cette époque, la banque perforait les chèques certifiés de petits trous particuliers qui ne pouvaient être falsifiés.

Marcel Deaudelin ajoute :

– Il ne fallait pas que la décision vienne de nous, mais bien de lui. C'est son ami de longue date, Charlie Léonard, qui l'a convaincu de nous vendre l'entreprise.

Bien que la vente de l'entreprise à ses fils ait semblé naturelle pour tous, Elphège a tenu ses fils sous sa tutelle pendant de longues années. Il était le seul maître à bord et il aurait pu décider de congédier l'un ou l'autre si tout n'avait pas fonctionné comme il l'exigeait. C'est pourquoi il devait être le seul à décider du moment de la vente.

En 1966, les fils d'Elphège Deaudelin achètent un terrain de 200 000 pieds carrés à Montréal-Nord pour bâtir un entrepôt de 87 000 pieds carrés. Les trois frères continuent de développer le marché jusqu'à ce que leur ami Guy Hudon leur parle de coopération.

L'entrepôt que les fils Deaudelin ont fait bâtir à Montréal Nord après avoir racheté en 1964 l'entreprise de leur père.

La firme Hudon & Orsali avait son siège social à un coin de rue de la leur.

Il n'était pas rare que Guy Hudon et les frères Deaudelin, qui évoluaient dans le même domaine depuis longtemps, se retrouvent pour manger ensemble.

C'est ainsi que monsieur Hudon proposa à ses amis d'unir leurs forces pour envisager ensemble les changements majeurs auxquels le marché alimentaire devait désormais faire face. On assistait alors à des fusions dans le domaine des épiceries au Québec, comme dans celui des boulangeries. Les gros rachetaient les petits et se regroupaient sous une bannière unique.

– Nous étions trop gros pour être petits et trop petits pour être gros, explique Marcel Deaudelin.

Guy Hudon avait vendu ses actions au Groupe Oshawa et invita ses amis à en faire autant pour créer un grand regroupement dans l'industrie agroalimentaire.

En 1974, la fusion des deux entreprises donna naissance à la firme Hudon & Deaudelin.

Marcel Deaudelin raconte encore :

– Nous avons signé des contrats de service avec le nouveau propriétaire. Jean-Guy est devenu le directeur général de l'entreprise, et Robert est resté l'acheteur pendant plusieurs années encore. Quant à moi, je ne voulais pas signer une entente qui me lierait pendant plus de deux années à la nouvelle entreprise. À l'âge de 38 ans, ça faisait déjà 23 ans que je travaillais 70 heures par semaine pour l'entreprise. Notre expérience, nos compétences ont été rachetées comme d'autres produits, ajoute-t-il.

Une fois écoulées les deux années prévues dans son contrat, Marcel Deaudelin se retire définitivement pour se consacrer entièrement à son entreprise de produits sanitaires qu'il avait menée en parallèle pendant plusieurs années. Son entreprise se portait bien ; cependant, son chiffre d'affaires allait se multiplier à partir du moment où il s'y est consacré à temps plein.

L'enfer derrière soi

Pierre Deaudelin a vécu chacune des étapes de l'expansion de l'entreprise qui avait commencé dans le sous-sol de son grand-père. Il porte en lui autant les souvenirs de la crise dont parlait son grand-père que le climat des années d'abondance annoncé par la Révolution tranquille. La vente de Hudon & Deaudelin allait clore un chapitre important de sa vie, puisque son père a dû le congédier, par lettre, au nom des nouveaux propriétaires.

– En mettant un terme à mon emploi chez Hudon & Deaudelin, mon père a rajouté que, si je ne me trouvais pas un emploi d'ici un mois, il me mettrait à la porte de la résidence familiale.

Même s'il qualifie aisément ses années d'école… de stage en enfer, Pierre Deaudelin a poursuivi ses études secondaires pour s'inscrire dans une école de métier.

Il avait terminé son primaire de peine et de misère. Les écoles de métier existaient déjà pour ceux qui étaient considérés comme des « nuls » à l'école primaire, ou encore comme des « manuels ».

– Je n'avais même pas de talent pour les travaux manuels, dit Pierre Deaudelin. J'ai dix pouces à chaque main !

Bien qu'il fût sur le marché du travail depuis longtemps, Pierre Deaudelin s'était quand même inscrit à l'École de mécanique, située sur la rue Saint-Denis.

– Je n'avais aucune aptitude, dit-il aujourd'hui.

Nous étions loin, très loin du temps où le petit Pierre mirait des œufs dans le sous-sol de la maison de son grand-père. Cependant, il jugea prudent de changer d'orientation, de sortir définitivement du giron familial.

Le nom Deaudelin étant connu partout, il était identifié au domaine alimentaire autant au bureau de l'assurance-chômage qu'ailleurs. Il est vrai que, devenu jeune adulte, Pierre avait des années d'expérience dans l'épicerie au détail et dans le commerce en gros.

Il a dû insister, expliquer longuement qu'il voulait changer de domaine pour que la préposée au service de l'emploi cesse de lui offrir du travail dans une épicerie ou chez un autre grossiste en alimentation.

En dehors de ce marché, il s'intéressait à celui de l'automobile, qui était en plein essor. C'est ainsi que l'employée décrocha un petit carton avec l'adresse d'une compagnie qui vendait des pièces et des outils pour les voitures.

Il arrive à la compagnie United Tools (dont le nom fut francisé par la suite) en étant certain d'être embauché. Il déchantera rapidement. Il n'était pas le seul à postuler pour ce travail, qui n'offrait pourtant que le salaire minimum. Six personnes le précédaient pour une évaluation en règle. Il attend son tour et, avant la première question, il déclare au patron, d'origine arménienne :

– Je veux absolument cet emploi. Essayez-moi ! Je vous donne une semaine de travail gratuitement et, si je vous conviens, je deviendrai votre employé.

Le patron est séduit par la détermination du jeune homme et accepte ce temps d'essai...gratuit. Pierre Deaudelin se retrouve dans un entrepôt où il emballe des outils, les range dans des boîtes pour les expédier à différents clients.

Il ne compte pas ses heures, sert aussi les clients au comptoir et se rend indispensable à l'entreprise. Il est intéressé par l'ensemble de ce domaine nouveau qui s'ouvre à lui.

Si bien que, quelques jours plus tard, le patron lui dira :

– Ça y est, Pierre ! Tu es embauché ! Tu commences aujourd'hui !

– Pas question ! Je vous ai dit que je vous donnerais une semaine pour faire mes preuves. Je suis embauché, je vous remercie. Je suis très content. Mais vous commencerez à me payer seulement à compter de lundi prochain.

Pour Pierre Deaudelin, le respect de la parole donnée est certainement l'une des clés de son succès en affaires.

En moins d'une année, il devient le meilleur vendeur de l'établissement.

« N'importe quel petit commerce est plus payant que de travailler pour quelqu'un autre ! »

Pierre Deaudelin est travailleur. Son charisme, son honnêteté, sa débrouillardise, son sens du service à la clientèle et, sans doute aussi, son sens de l'humour en font déjà un futur champion dans le domaine des pièces d'automobiles.

On se souviendra que, pendant ses années à l'école primaire, Pierre exerçait toutes sortes de petits métiers en plus de faire, en grandissant, des livraisons, le midi et le soir, pour le marché d'alimentation Dionne de son quartier. Il vendait aussi toutes les bouteilles vides qu'il trouvait sur son chemin.

Il ne mettra pas beaucoup de temps à réaliser – comme le lui avait enseigné son grand-père Elphège – que n'importe quel petit commerce est plus payant que de travailler pour quelqu'un autre.

Il avait demandé une augmentation de salaire à son patron, qui lui avait répondu que « ça déstabiliserait » l'entreprise.

Pierre lui a dit spontanément :

– Ici, je n'ai toujours connu qu'une augmentation de travail. Je me sens très insécure si une augmentation de salaire peut menacer une entreprise comme la vôtre.

4

La naissance de Transbec

Il a remis sa démission et, dans les jours suivants, il investissait 1 400 $ dans des pièces d'automobiles afin de démarrer sa propre entreprise, qu'il nommera Transbec.

Son premier camion, de marque Dodge et peint en jaune, lui a coûté 5 400 $.

Quand il a informé son père qu'il travaillerait désormais à son compte, celui-ci, loin de le soutenir ou de l'encourager, lui a dit :

– Je ne veux pas que tu te lances en affaires ! Si tu fais faillite, c'est mon nom qui sera déshonoré !

Pierre Deaudelin, devenu un homme, pouvait-il attendre plus de confiance et de soutien de la part de son père qu'il n'en avait reçus quand il était enfant ?

Il faut dire, à la décharge de Robert Deaudelin, que lui-même avait été, en quelque sorte, plus ou moins rejeté par son père.

Ses frères Jean-Guy et Marcel étaient des petits débrouillards qui s'affirmaient, défendaient leurs idées, se ralliaient pour ne pas s'en laisser imposer par leur père. Robert, lui, était en quelque sorte terrifié par son père, qui, très tôt, ne lui trouvant pas les qualités exprimées par les deux autres, se détourna de lui.

Pierre a appris tôt à ravaler la perception que son père avait de lui. D'ailleurs, depuis qu'il est tout petit, il a appris à refouler tout au fond de lui-même cette peine et cette colère immenses qu'il porte encore aujourd'hui. Cependant, c'est l'admiration, l'attention que son grand-père Elphège lui a témoignées qui éclaire jusqu'à présent ses pas d'entrepreneur. Le grand-père riait de ses espiègleries et se montrait toujours intéressé par ses propos et ses projets.

Le « gnochon » a de la valeur

Elphège demeure son modèle, son inspiration, son phare. Si les autres l'ont considéré longtemps comme un « grand niaiseux », tous les mécanismes de survie étaient déjà à l'œuvre en lui, afin de pouvoir démontrer un jour à tous qu'il est à la hauteur de la confiance et de l'admiration que son grand-père avait en lui depuis son plus jeune âge. Il était sa « petite vedette », son petit champion qu'il exhibait autant chez le banquier que chez ses fournisseurs et ses clients.

S'il s'est débrouillé seul depuis sa tendre enfance, il sait qu'il en sera ainsi pendant toute sa vie. Que c'est à lui de faire ses preuves et, si c'est nécessaire, de changer les règles du jeu.

Devenu un homme, il s'appliquera encore et encore à prouver que le « gnochon » a de la valeur, du talent et des ressources insoupçonnées.

Il sort définitivement de la tribu Deaudelin à l'âge de 22 ans.

Il est à l'âge de se marier, de fonder un foyer et une famille. Il ne perd pas une minute.

Vivement le mariage !

Au cours d'une soirée de danse à Saint-Jérôme, il rencontre Cécile Villeneuve. Elle l'impressionne beaucoup. De sept ans son aînée, non seulement elle sait lire et écrire, mais encore elle sait compter. C'est une professionnelle qui travaille au service de la comptabilité au bureau des arpenteurs du Québec.

Il se marie la même année que sa compagnie Transbec est fondée.

Tout au long de sa vie, Pierre Deaudelin prendra ainsi les bouchées doubles, triples même, parfois.

Les fiancés meublent leur premier appartement. Pierre proteste fortement quand sa future épouse lui propose l'achat de lits jumeaux pour leur chambre. Il ne se résigne pas à cette idée et finira par avoir gain de cause : le couple occupera le même lit double.

En ce qui concerne les femmes – on aura l'occasion d'y revenir –, Pierre, n'ayant pas connu une mère épanouie et n'ayant pas eu de sœurs non plus, cherchera toujours… la femme idéale.

Avec le recul, on peut supposer que, d'instinct, il a épousé une partenaire pour ses affaires. Cécile Villeneuve avait la trempe des femmes d'envergure qui allaient devenir le nouveau modèle québécois. Elle gagnait bien sa vie, était indépendante financièrement et autrement.

Un premier malheur pour l'entreprise

Il se débrouille bien en étant à son compte et ne regrette pas d'être devenu un « boss », comme son grand-père le lui avait recommandé. Un premier malheur devait pourtant s'abattre sur lui et sur sa petite entreprise à peine une année après qu'elle eut été incorporée : son camion se fait voler en pleine nuit. Une petite clause du contrat d'assurance stipulait que son véhicule n'était plus assuré après 23 h.

– En 1975, dit-il, on a vécu sur le salaire de ma femme !

Il trouvera les solutions pour faire face à l'adversité et créer sans cesse de nouvelles occasions. Si bien qu'en 1976 il aura les moyens de bâtir sa première maison à La Plaine, en banlieue de Montréal. Il sera déjà en mesure de donner un acompte de 25 000 $.

– C'est le maire lui-même, avec son tracteur, qui a fait la rue où nous avons bâti la maison.

Le maire était un fermier qui s'appelait Villeneuve, comme l'épouse de Pierre, sans être parent avec celle-ci. Et l'épouse de monsieur Villeneuve se prénommait Cécile, comme l'épouse et comme la mère de Pierre. Si bien que le nom de la nouvelle rue porte encore aujourd'hui le nom de Cécile.

Le premier fils de Pierre Deaudelin, Dominic, est né le 20 juin 1978. Cela devenait une motivation de plus pour Pierre Deaudelin, qui entretient une image idyllique de la famille.

Comme la vraie figure paternelle qu'il a choisie est celle de son grand-père Elphège, sans doute que, comme lui, il souhaiterait avoir des fils qui grandiront en développant l'entreprise familiale.

Pierre Deaudelin est obsédé par les affaires en général, et par les siennes en particulier. Il n'a pas le temps ni le goût de remettre en question ses références intérieures ou encore de s'alimenter à d'autres sources de vie. Comme il ne lit pas, on peut aisément imaginer que ses seules références ressemblent, le plus souvent, à celles de la vie de son grand-père.

Dès son départ en affaires, il mettra en application ses sages conseils, qui sont devenus son petit catéchisme à lui.

Comme il ne sait ni lire ni écrire, il est devenu un « boss » ; il est son propre patron.

Son entreprise est au service de la classe moyenne. Tous ceux qui ont des voitures auront besoin, un jour ou l'autre, de lui et des services de sa compagnie.

Et un premier million de dollars de chiffre d'affaires

En 1979, à force de travail et d'ingéniosité, Pierre Deaudelin enregistrait son premier million de dollars de chiffre d'affaires.

– Je ne dépensais pas. Je ne faisais que travailler. Je ne pensais qu'à gagner de l'argent pour fuir ma misère passée, tout en ayant peur de m'y retrouver !

Il allait réaliser bientôt que la misère n'est pas dans un passé lointain, mais dans un présent que l'on porte en soi et qui fait trop mal pour qu'on puisse le ressentir, le comprendre, l'intégrer, puis le dépasser.

5

Cap sur l'Orient

Le passé occulté refait surface

Pierre Deaudelin est plongé dans une dépression. Il l'attribue aujourd'hui au fait qu'il soit dyslexique et qu'il ne sache ni lire ni écrire.

– Tout mon bureau était dans ma tête, dit-il : l'inventaire, les comptes clients, les comptes fournisseurs et les perspectives d'avenir. Le fait de ne savoir ni lire ni écrire me créait un grand stress. Je ne voulais pas que les gens s'en rendent compte et je dépensais beaucoup d'énergie pour le cacher.

Il pourrait ajouter à son bilan de santé qu'il souffrait de troubles du sommeil, comme 35 % des Nord-Américains.

– Ma tête travaillait jour et nuit. Quand tu bâtis une entreprise et que tout est dans ta tête, celle-ci ne s'arrête jamais. Mon cerveau tournait à haute vitesse et ne me laissait aucun temps pour le repos.

Son médecin lui recommande d'aller consulter un psychologue. Il attendra quatre mois avant d'obtenir un premier rendez-vous avec un thérapeute de Saint-Jérôme. Ce sera le dernier !

Bien sûr, il a raconté un peu son enfance, l'histoire de ses parents, le viol et l'agression sexuelle dont il a été victime. Quand le professionnel l'a invité à se poser la question à savoir s'il était homosexuel ou non, Pierre Deaudelin l'a soulevé de terre et collé au mur :

– J'ai attendu quatre mois pour entendre une telle imbécillité !

Il est sorti du bureau en claquant la porte et en se promettant de se guérir lui-même plutôt que d'écouter les « folleries » d'un intellectuel aussi peu doué.

– Mon fils avait deux ans quand j'ai sombré dans la dépression. À force d'essayer de tout contrôler dans ma tête, d'anticiper l'avenir, j'étais sans repos. J'avais tellement d'idées en même temps que je réalisais que je ne pourrais pas les porter à terme dans l'état où je me trouvais. Je prenais sur moi autant que je le pouvais, mais il m'arrivait de pleurer à la porte des clients que je visitais pour une nouvelle commande. J'étais dans un état si lamentable que mon épouse, quand elle s'absentait le soir, engageait une gardienne autant pour moi que pour notre bébé.

« Quand la remorque est plus grosse que la voiture... »

Pierre Deaudelin a payé le prix fort pour connaître ses limites physiques et psychologiques.

– Quand la remorque en arrière est plus grosse que la voiture, dit-il, c'est certain que l'élan sera freiné ! Je me suis retrouvé devant un mur !

Il se souvient que la gardienne embauchée par sa femme, la fille d'un cultivateur qui habitait le voisinage, faisait des études en psychologie. Un soir, remplie de compassion voire de pitié pour le grand gaillard qui semblait si démuni, elle a voulu lui venir en aide.

– Vous allez faire deux colonnes sur cette page. D'un côté, nous allons écrire tout ce qui va bien dans votre vie. Et de l'autre, tout ce qui va mal. S'il y a plus de négatif que de positif, j'irai chercher la carabine de mon père et vous pourrez mettre fin à vos jours !

Une psychothérapie radicale !

Quand un brouillard lourd et sombre recouvre toute votre vie, il est difficile d'établir une liste réaliste de choses positives. Pierre Deaudelin contemplait surtout ses insuffisances, ses nombreuses difficultés. Il se sentait devant un mur qu'il ne pouvait ni enjamber ni contourner. Ramenant tout à son entreprise, à ses affaires, il souffrait mille morts autant le jour que la nuit.

Ses incapacités prenaient des proportions énormes.

Pourtant, il avait appris de son grand-père et de la vie qu'il valait mieux régler ses problèmes que d'en parler.

Il trouve l'énergie pour ouvrir le premier entrepôt de Transbec à Montréal-Nord.

À cette époque, sa compagnie vendait 4 000 pièces d'autos dans tout le Québec. Il avait pris conscience, depuis un moment déjà, que ce n'était pas suffisant pour la bonne marche et l'évolution de son entreprise.

Il fait un bond en avant pour soigner sa dépression

En approvisionnant régulièrement son entreprise à New York, il découvre, au contact de divers agents qui vendent des pièces d'autos, que toute cette industrie est entièrement contrôlée par de grandes compagnies américaines. Ces multinationales travaillent davantage pour générer des profits à leurs actionnaires, et procurer de gros salaires et des bonis exceptionnels au président et aux cadres, que pour le consommateur.

Il pressent déjà que, pour changer l'état des choses dans son domaine, il doit devenir importateur.

Transbec ambitionne de vendre un plus grand choix de pièces d'autos à un prix inférieur à celui du marché. L'heure est venue, pour lui, de créer de nouvelles règles du jeu. La question qui s'imposait à lui comme une obsession était : comment s'y prendre pour en arriver à couper plusieurs étages d'intermédiaires au profit des consommateurs ?

– Les Japonais, dit-il, ont gagné la guerre pacifiquement contre les Américains en élevant les standards de qualité dans le marché mondial de l'automobile. Ça touchait autant le design que la qualité de la fabrication de chacune des pièces.

À la conquête de l'Orient

Il soigne sa dépression en faisant un bond en avant. En sautant dans l'inconnu, dans le vide.

En avril 1982, Pierre Deaudelin prend l'avion pour Taïwan avec comme seule référence en poche le nom du cousin d'une amie chinoise qu'il a connue à New York.

Petit Québécois qui avait à peine voyagé jusqu'alors, il débarque sur une île que les marins portugais avaient nommée Formosa, ce qui veut dire « belle île ». Cette île de 394 kilomètres de long sur 144 de large située entre l'océan Pacifique et la mer de Chine porte encore aujourd'hui des traces d'indépendance par rapport à la Chine continentale.

Une longue et belle histoire d'amour commence entre Taïwan et Pierre Deaudelin. Il descend au Golden China Hotel, qui deviendra son pied-à-terre pendant des années.

Si, aujourd'hui, on est ébloui par la Chine, qui bâtit son « capitalisme à l'américaine » à un rythme accéléré, en 1982, elle avait encore tout à envier à Taiwan, qui avait déjà une longue expérience avec le capitalisme américain et l'exportation.

Alors qu'on achetait encore des petits chinois pour 25 cents, on achetait déjà depuis longtemps des produits de toutes sortes *made in Taiwan.*

Encore de nos jours, on oublie très souvent que Taïwan, c'est la Chine. Formose avait, en effet, déclaré son indépendance sous le nom de République de Taïwan en 1895 avant d'être prise et contrôlée par le Japon.

Puis, en 1945, Chiang Kai-chek débarque avec ses troupes, et la République de Chine commence à gouverner l'île. Deux ans plus tard, des émeutes éclatent, provoquant la mort d'environ 30 000 Taïwanais ; la loi martiale est proclamée. Après sa défaite aux mains des communistes, Chiang Kai-chek se replie à Taïwan avec près de deux millions de continentaux qui fuient le communisme.

Dépourvue de richesses naturelles, cette petite île est devenue, bien avant la Chine continentale, un des centres économiques les plus actifs au monde en se tournant vers l'industrie manufacturière. En 1971, l'ONU vote une résolution par laquelle la République de Chine (Taïwan) perd son siège au profit de la République populaire de Chine, qui devient le seul représentant de la Chine à l'ONU.

Dans les années 1990, malgré son faible marché intérieur, Taïwan, grâce à ses exportations, était la première réserve de devises mondiales (source: Bruno Hasson, *Réussir en Asie*, Les Presses du Management).

Pierre Deaudelin est descendu dans le bon pays au bon moment. Il fait la connaissance de Mister Lee qui, au fil des ans, allait devenir plus qu'un ami, un frère.

– Il était si maigre, dit-il, que, lorsque nous nous rendions au salon de massage ensemble, il ne voulait pas qu'on touche à son corps. Il demandait plutôt qu'on lui passe le séchoir à cheveux dans le dos pour le réchauffer. Il avait toujours froid. Il pesait 75 livres, le poids que moi, je devais perdre, ajoute en riant Pierre Deaudelin.

Sourire aux lèvres, Pierre Deaudelin raconte un autre souvenir au sujet de Mister Lee.

– Un jour, alors que nous assistions ensemble à une foire internationale de l'auto, sa valise s'est perdue dans le transport. Je suis allé dans un magasin lui acheter un complet pour enfant. Ça lui

Pierre Deaudelin lors de son premier voyage en Chine.

Pierre Deaudelin et ses premiers collaborateurs en Asie.

convenait parfaitement. On rit encore aujourd'hui du costume de premier communiant de Mister Lee.

– À cette époque, raconte Pierre Deaudelin, les Chinois fabriquaient déjà – sans avoir aucune idée de l'usage de ces objets d'acier – des pièces d'autos pour les grandes compagnies américaines.

En même temps que Pierre Deaudelin découvre l'exploitation de l'homme par l'homme, il goûte aussi au sens du respect, de la simplicité et de la fraternité dont sont capables les Asiatiques. Il apprécie les valeurs de cœur qui lui ont si souvent manqué dans sa famille d'origine.

C'est à Mister Lee en premier qu'il exprimera les besoins de sa compagnie. Il avait apporté une vingtaine d'échantillons de pièces nord-américaines, dont il voulait augmenter autant la qualité que la quantité.

Devenu l'intime de Mister Lee, il lui a enseigné qu'il était important de fabriquer des pièces qui seraient capables de résister aux hivers québécois.

– Si des pièces d'autos peuvent résister à des froids de moins 30 degrés, on peut dire que l'on pourra servir, d'ici peu, le monde entier.

Pierre Deaudelin sait reconnaître d'instinct le talent et les forces de chacun. Il aime Mister Lee, et Mister Lee l'aime aussi. Bientôt, il entre non seulement dans l'environnement professionnel de Mister Lee, mais encore dans sa famille.

Pierre Deaudelin ne sait pas lire et écrire le chinois, mais Mister Lee ne sait pas lire et écrire le français ou l'anglais : ils sont égaux.

– C'est souvent au Québec que je me sens étranger, dit aujourd'hui Pierre Deaudelin. Mes racines sont en Chine.

Pierre Deaudelin se sent à l'aise. Il peut communiquer d'une manière qui dépasse celle des mots. Il ne se sent plus handicapé, soudainement, par le fait de ne savoir ni lire ni écrire.

– On faisait de petits dessins et on se comprenait bien.

Bientôt, il réalise qu'une relation d'affaires, en Chine, naît de la confiance qui, elle, vient de l'intimité. La légende veut que, avant de signer une entente avec qui que ce soit, les hommes d'affaires chinois boivent du thé jusqu'à ce qu'ils connaissent tout de vous, de votre famille, de vos attentes et des besoins de votre compagnie, etc.

– Ils boivent, c'est vrai, dit Pierre Deaudelin. Ils peuvent même boire comme des lavabos. Mais ils boivent plus de whisky que de thé.

Une première usine à Taïwan

Rapidement, Pierre Deaudelin réalise que Mister Thien, que lui a présenté Mister Lee, est un machiniste de grand talent. En un temps record, il peaufine les pièces que Lee lui a commandées. Mister Lee, lui, est un homme très motivé à réussir en affaires.

Il vend tout ce qu'il possède, sauf son poulailler et ses poules, pour bâtir sa propre usine. Pierre Deaudelin lui avance l'argent nécessaire pour qu'il achète la machinerie dont il a besoin pour fabriquer, dès le départ, une vingtaine de pièces, les plus populaires.

– Je n'oublierai jamais, raconte Pierre Deaudelin aujourd'hui, que la première usine qui fabriquait les pièces de Transbec a commencé dans un poulailler de Taïwan. Mister Thien avait même

La première usine de Transbec est aménagée, en 1982, dans un poulailler à Taiwan.

gardé ses poules. Si la manufacture ne progressait pas comme il le souhaitait, il pourrait au moins se nourrir.

Quand Pierre Deaudelin est rentré au Canada, en 1982, les premières bases de l'expansion de Transbec étaient jetées en Asie, assurant l'expansion de la compagnie au Canada

En 1986, Pierre Deaudelin achète son premier entrepôt, rue Masse, à Montréal-Nord. Quatre ans plus tard, il doit déménager sur la rue Philippe-Panneton, passant d'une surface de 3 600 pieds carrés à 10 000 pieds carrés.

En 1992, il devient propriétaire de l'immeuble voisin du sien à Montréal-Nord pour obtenir les 25 000 pieds carrés qui correspondent davantage aux besoins de son entreprise.

En 1995, il agrandit encore son marché en faisant l'acquisition de la compagnie Atlas, qui vend des pièces de rechange non seulement au Québec, mais encore en Ontario et dans les provinces de l'Atlantique.

Deux ans plus tard, Pierre Deaudelin, assuré de l'usinage de plus de 6000 pièces d'autos à Taïwan, se présente comme distributeur sur le marché international en participant à son premier salon international de l'automobile, celui de Aapex à Las Vegas. C'est là qu'il rencontrera ses premiers clients, avec qui il traite toujours aujourd'hui.

L'histoire d'une progression en images

En 1974, le premier entrepôt de Transbec était situé dans le sous-sol de cet immeuble où habitait Pierre Deaudelin.

En 1986, l'entrepôt de Transbec, rue Masse, à Montréal-Nord.

Déjà l'expansion de la compagnie est commencée ; Transbec déménage en 1990 pour obtenir plus d'espace, rue Panneton, à Montréal-Nord.

En 1998, Transbec gagne encore des pieds carrés, rue Albert-Hudon, toujours à Montréal-Nord.

En 2006, Transbec déménage à Laval.

Une chaîne d'intégrité en Chine

Une première usine tourne déjà à pleine capacité en Asie pour fabriquer les pièces qui viennent augmenter les services que Transbec rend à sa clientèle canadienne et, désormais, étrangère.

Pierre Deaudelin continue sa longue marche en Chine en s'y rendant au moins trois fois par année.

En fréquentant ses amis et en fêtant régulièrement avec eux, il réalise que les Chinois qui ont fait leur service militaire ensemble sont liés pour la vie, comme des frères. Ils ont établi entre eux un code d'honneur qui fait en sorte qu'ils ne pourront jamais se trahir. En étant présenté et accompagné par l'un et par l'autre, il fait son entrée sur le continent chinois pour déterminer dans quelles nouvelles usines il investira des millions de dollars.

Mister Lee, en compagnie de Pierre Deaudelin, de son fils Dominique et de Mister Tom.

Après une journée de travail, Mister Lee, M. Hong et Pierre Deaudelin se retrouvent autour d'une bonne table pour partager avec des amis.

Il se familiarise de plus en plus avec la philosophie orientale. Il partage les valeurs de ces hommes et de ces femmes dont il ne connaissait, dix ans plus tôt, que les images des petits Chinois vendues dans les écoles catholiques du Québec. Peut-être qu'il est le seul enfant à ne pas avoir acheté de petits Chinois, trop occupé déjà à voir gonfler son compte de banque.

Passionné par la culture chinoise, il respecte leurs traditions et même leurs croyances. Même si l'astrologie ne l'intéresse pas particulièrement au Québec, il prend le temps d'écouter la traductrice qui lui dit qu'il est un dragon. Parce que, pour ses partenaires chinois, le signe astrologique est très important. Même en affaires !

Un dragon blanc en pays jaune !

Les Chinois disent du natif du signe du dragon qu'il a des manières distinguées, que sa nature le force à la franchise et qu'il est un homme naturellement ambitieux et pacifique. Ses amis Chinois reconnaissent qu'il jouit d'une vitalité débordante et d'un incomparable sens de l'humour. Ils apprennent à Pierre que le dragon est un dieu de la puissance qui est destiné à rayonner de tous ses éclats.

Il était la « petite vedette » de son grand-père Elphège et avait beaucoup de facilité à se donner en spectacle pour les amis, les clients et les fournisseurs de celui-ci. Il reconnaît qu'il a le sens du spectacle et de la comédie dans le sang. Il reconnaît aussi, comme ses amis le lui révèlent, que ce personnage fort élégant et dynamique, d'apparence si dégagée et si à l'aise avec les autres, cache aussi une profonde timidité.

Les proches de Pierre Deaudelin peuvent observer toutes les contradictions de celui qui est né sous le signe du dragon. Ils sont à même de constater que son humeur et sa puissance varient selon les circonstances.

Le fait que Pierre Deaudelin soit né sous le signe du dragon n'est pas étranger à son succès dans différentes provinces de Chine. Pour eux, en effet, le dragon incarne le personnage le plus vénéré de l'astrologie chinoise à cause de sa nature généreuse, honnête, sincère et courageuse.

Des centaines de dirigeants d'entreprises et des milliers d'ouvriers, dans plusieurs provinces de Chine, ne connaissent que deux Canadiens : Norman Bethune et Pierre Deaudelin.

Norman Bethune et Pierre Deaudelin

Quand Pierre Deaudelin a fait ses premiers pas en Chine continentale, le Canada et les Canadiens avaient leur importance sur le plan politique, notamment grâce à Pierre Elliott Trudeau. Cependant, ces liens étaient encore éloignés pour la majorité des Chinois. Par contre, le Canadien Henry Norman Bethune, lui, était considéré comme un héros national et l'ami de tout le peuple. Ce chirurgien thoracique et pneumologue, né en Ontario en 1890, est mort en Chine en 1939.

Pierre Deaudelin avait remarqué, sur l'autel des ancêtres que l'on retrouve dans plusieurs maisons chinoises, la photo de ce médecin canadien qui avait tant aidé leur peuple pendant la Seconde Guerre sino-japonaise. C'est ainsi que, dans les conversations d'affaires, lorsqu'on lui demandait d'où il venait, il a pris l'habitude de répondre : « Je viens du pays de Norman Bethune. ».

– En Chine, raconte Pierre Deaudelin, la statue de Norman Bethune est souvent placée à côté de celle de Mao ; ça vous donne une idée de la vénération que le peuple chinois entretient pour Norman Bethune. Quand je disais que j'étais Canadien, ça ne voulait pas dire grand-chose pour eux, à l'époque. Quand je disais que je venais du pays de Norman Bethune, ça créait immédiatement un climat de confiance.

Plus tard, Pierre Deaudelin a réalisé qu'il avait quelque chose en commun avec cet autre Canadien qu'il n'a jamais rencontré. En effet, tout comme son grand-père Elphège avait été le héros de son enfance, la principale figure d'identité de Norman Bethune avait été son grand-père. Chirurgien militaire, celui-ci s'était engagé en 1853 dans la guerre entre la Russie impériale et la coalition comprenant l'Empire ottoman, le Royaume-Uni, l'Empire français et le royaume de Sardaigne. Il était le compagnon d'un autre chirurgien militaire, Henri Dunant, qui a fondé la Croix-Rouge.

– Tout ce qu'a fait Norman Bethune en Chine, rajoute Pierre Deaudelin, était porté par un idéal très élevé. Il est à jamais dans le cœur des Chinois.

Aussi n'a-t-il pas été surpris quand, en 1990, la Chine et le Canada, d'un commun accord, ont émis un timbre-poste à l'effigie de Norman Bethune pour célébrer le centième anniversaire de sa naissance.

La joie de bâtir et de voir grandir

La grande joie de Pierre Deaudelin est non seulement de bâtir, mais de voir grandir des hommes, des femmes, des familles qui n'avaient pas même une maison quand il les a connus. Il les a vus se développer en même temps que des centaines puis des milliers d'ouvriers se consacraient à l'essor de son entreprise.

Aujourd'hui, il fait fonctionner plus de deux cents usines en Chine. Il s'y rend régulièrement avec les principaux cadres de sa compagnie.

Au Québec, il fusionne ses deux compagnies, Atlas et Transbec, en 2000, et, deux ans plus tard, le site Web de Transbec est créé afin de permettre à ses clients en Europe et en Amérique du Nord

Des femmes chinoises au travail dans une des usines bâties par Pierre Deaudelin en Chine.

Une des usines de Transbec, au sud de Shanghai.

Cette usine de Transbec à Tai Chinh, au Vietnam, fabrique des pièces de direction.

Des filtres à essence sont fabriqués parfois 24 heures sur 24 dans une des usines de Transbec, bâtie en Chine par Pierre Deaudelin depuis 1982.

Cette manufacture de roulement de roues située au nord de Beijing témoigne de l'essor formidable de l'entreprise depuis ses premiers pas en Asie.

d'être constamment informés des nouveautés de la compagnie.

En 2002, le Canada étant servi, d'un océan à l'autre, par les représentants de Transbec, il participe au Salon Automechanika à Francfort, en Allemagne, et il augmente le nombre de ses représentants.

Il rachète la compagnie Dai, qu'il avait fondée puis vendue, et qui offre, elle aussi, des accessoires d'autos.

En 2006, il construit une nouvelle bâtisse de 100 000 pieds carrés au 5505, rue Ernest-Cormier, à Laval, sur le terrain de 400 000 pieds carrés qu'il avait acheté quelques années plus tôt.

Son fils aîné Dominic devient directeur du département des achats.

TROISIÈME PARTIE

La vie, l'amour, les femmes...

La joie est en tout ; il faut savoir l'extraire.

Confucius

Il est certain que Pierre Deaudelin idéalisera toujours la famille. Son modèle, Elphège Deaudelin, a eu beaucoup d'enfants qui ont tous vécu pour et au rythme de l'entreprise familiale, qui était l'épicentre de leur vie, dont il était le CHEF !

Même si, dans la famille qu'il a bâtie avec Cécile Villeneuve, tout devait bien tourner autour de l'entreprise, les enfants conserveront des souvenirs de la route qu'ils ont faite en famille, en voiture Station GM, pour aller livrer des commandes à des clients dans la région de la Gatineau ou un peu partout ailleurs au Québec.

Les enfants de Pierre Deaudelin n'oublieront pas non plus les vacances en famille à Myrtle Beach qu'ils ont passées dans le premier motorisé, un modèle de classe C, que leur père avait acheté. Ils conservent aussi de bons souvenirs de leurs vacances d'hiver à Verona Beach, où ils se retrouvaient en famille.

Francis Deaudelin se souvient du moment où toute la famille a vu arriver un motorisé extrêmement luxueux, véritable palace sur roues, qui devait coûter, à l'époque, près d'un million de dollars. Son père lui avait dit alors :

– Un jour, moi aussi, j'en aurai un.

Quand le divorce s'est imposé dans le couple, les tempêtes émotionnelles furent épargnées aux enfants. Grâce à la maturité de leurs parents, ils ont été confiés à des pensionnats où ils pourraient poursuivre leurs études à l'abri des tumultes émotionnels, légaux, financiers et autres.

Francis Deaudelin, des années plus tard, résume son enfance et son adolescence ainsi :

– De ma naissance jusqu'à l'âge de 12 ans, nous avons eu 18 gardiennes à la maison, car nos parents bâtissaient une entreprise. Ils nous ont inculqué très tôt le respect de cette entreprise. Comme enfants, nous avons tous aimé Transbec !

Et il continue :

– Quand nos parents se sont séparés, ils ont fait les meilleurs choix pour nous, compte tenu des circonstances qui n'étaient pas faciles pour eux. Mais, pendant des années encore, nous nous retrouvions ensemble, en famille, pendant le week-end, pour faire du ski au mont Saint-Sauveur.

Pierre Deaudelin a pris plusieurs années avant de présenter sa « blonde » à ses enfants.

– Mon père avait acheté son premier motorisé de marque Prévost. Il m'avait invité à passer le week-end avec lui à Sainte-Dorothée, au camping du Mont-Laval. Dans sa salle de bain, il y avait un bikini de femme. Je me suis exclamé : « Papa, depuis quand portes-tu un maillot de bain de femme ? » Et nous avons bien ri ensemble.

Si la passion première de Pierre Deaudelin reste les affaires, les femmes occupent une place importante dans sa vie. Son mariage s'étant soldé par un divorce en 1994, il était bien résolu à ne pas se priver de présence féminine.

N'ayant pas connu, dans sa prime enfance, une mère aimante ou une sœur qui aurait « discipliné », « éduqué », voire orienté ses hormones, il semble être toujours à la conquête de l'éternel féminin.

Quand je l'ai rencontré, il venait de rompre avec sa « bien-aimée », dont il connaissait la marque du parfum et dont il avait encore, d'après ce que je pouvais percevoir, la nostalgie.

Il a recouvert sa récente rupture d'une boutade :

– Connaissez-vous beaucoup d'hommes qui se sont mariés une seule fois et qui ont vécu plusieurs lunes de miel ?

Bien sûr que non, je n'en connaissais pas ! Peut-être que ce sont des expériences très romantiques.

6

La conquête du principe féminin

Un mariage et plusieurs lunes de miel

Nous savons qu'il existe, ici comme ailleurs, des agences qui organisent des mariages sur mesure, à la portée de toutes les bourses.

Chacun peut être non seulement conseillé, mais encore assisté, autant pour le choix des alliances et des vêtements à porter que pour le décor de la réception, que l'on voudra champêtre, classique, médiéval, etc. Ces commerces peuvent aussi proposer le lieu du culte religieux ou l'endroit profane qui conviendra le mieux aux croyances des clients tout en s'adaptant aux demandes les plus originales et aux portefeuilles les plus extravagants.

Pour la lune de miel, une variété de voyages par terre, par mer ou par air, avec une gamme assez vaste de suites d'hôtels aux décors enchanteurs, vous donneront un avant-goût, sur photos ou diaporamas, du bonheur possible.

C'est essentiel, n'est-ce pas, d'être accompagné, conseillé pour le jour le plus important de sa vie !

Ces services complets sont offerts aussi en Chine. Pierre Deaudelin a visité à plus d'une reprise ces agences qui s'occupent de toute l'organisation de votre mariage.

Cependant, lui achetait exclusivement les services proposés à la carte pour la lune de miel.

Il choisissait d'abord un bel hôtel sur le bord de la mer et une suite aussi luxueuse que romantique, avec le champagne, les meilleurs repas, les vins capiteux, etc.

Quand tout était au point, le responsable de l'agence lui demandait à quelle date il voulait « convoler ».

– Je ne le sais pas, répondait-il, car je n'ai pas encore trouvé la femme pour vivre cette lune de miel avec moi.

Le propriétaire de l'agence, ne voulant pas rater la bonne affaire, partait à la recherche de la femme idéale pour Pierre Deaudelin. Celui-ci, cependant, voulait respecter toutes les règles de la tradition chinoise. La jeune fille ou la femme devait lui être présentée « officiellement », au cours d'un repas où elle viendrait avec un témoin.

Souvent, ces jeunes filles ou ces femmes étaient des universitaires fascinées par l'Amérique et par l'homme blanc.

– Ce n'étaient pas que des histoires de bagatelles, raconte Pierre Deaudelin. Il y avait aussi des histoires belles et romantiques.

C'est sans doute pour l'une de ces histoires qu'il a regretté de n'avoir pas eu d'enfants en Chine.

– La femme chinoise est plus soumise que la femme occidentale, ajoute-t-il.

Il a répété cette histoire de « lune de miel » à plus d'une reprise.

Il aime les femmes.

Toutes les femmes !

Habité en même temps par un idéal de la famille comme celle qu'a réalisée son grand-père, il saura faire face à ses propres contradictions, les habiter et même se confronter à elles.

Alors que sa fille Véronique est enceinte et sur le point d'accoucher, il décide de se ranger et de devenir un… grand-père idéal, puisque la célébration du baptême aura lieu chez lui. Cette fois, Pierre Deaudelin est bien décidé à choisir une femme avec « sa tête ». Comment s'y prendra-t-il ?

Choisir une femme avec sa tête

Il sait qu'Internet, ce nuage au-dessus de la planète, offre aussi plusieurs réseaux de rencontres. Il demande alors à sa secrétaire puis, le cas échéant, à un proche collaborateur de détecter les meilleurs services du genre. Quand sa secrétaire lui demandera :

– Que dois-je écrire sur vous, monsieur Deaudelin ?

La réponse ne se fit pas attendre.

– Écrivez tout ce qu'une femme aimerait rencontrer chez un homme.

Ce fut fait !

Les courriels et les photos des femmes intéressées par son « profil » lui furent communiqués.

Pierre Deaudelin est habitué aux catalogues. Sa compagnie publie chaque année un catalogue comportant au minimum 700 pages.

C'est facile pour lui de demander qu'on lui imprime les caractéristiques de quelques « modèles féminins » qui semblaient correspondre le mieux à sa recherche du moment.

La première rencontre aura lieu dans un restaurant choisi par la dame. Il prendra tout le temps nécessaire pour la connaître un peu mieux, lui faisant découvrir à son tour une bonne table ou une activité qu'ils prendront plaisir à faire ensemble.

On peut soupçonner que les femmes qui veulent partager la vie d'un quinquagénaire riche et audacieux doivent se trouver en assez grand nombre.

Autant en Amérique qu'en Chine, d'ailleurs.

Pierre Deaudelin est aussi un charmeur !

Son grand-père ne l'emmenait-il pas un peu partout pour le donner en spectacle, sachant qu'il ferait rire la galerie ? Tout petit, Pierre Deaudelin était un *showman*. Il l'est resté.

Imaginons maintenant la réaction d'une belle princesse quand il l'informe qu'il ne sait ni lire ni écrire. Il doit s'en trouver quelques-unes pour être attendries et même prêtes à lui lire les chefs-d'œuvre de la littérature française ou anglaise pendant quelques années. N'a-t-il pas appris tôt dans sa vie que « les filles, c'est bon : ça veut toujours aider » ?

Pierre Deaudelin répond au modèle occidental de la réussite sociale : c'est un homme d'affaires qui est devenu riche, très riche. Et ce, en dépit de son enfance difficile. Ce qui lui confère encore plus de mérite.

Ce prince a même réussi à conquérir la Chine sans aucune aide gouvernementale. Il sait d'instinct qu'il est vrai, le vieux proverbe chinois qui dit : « Mieux vaut essuyer la larme du paysan que d'obtenir cent sourires du ministre ! ».

Pour qui connaît un peu la psyché féminine, on sait que les belles au bois dormant ont le rêve facile ! Certaines font même pitié quand elles croient que, si le prince ne les embrasse pas, elles seront condamnées à dormir… pour toujours !

Les histoires que les belles princesses se racontent tôt dans leur vie sont bien connues par les spécialistes qui se sont penchés sur la psyché féminine. Contrairement aux contes de fées, dans lesquels le vilain crapaud devient le prince charmant, dans la vie des humaines, le prince charmant termine souvent sa carrière en vilain crapaud.

Ce qui n'empêche pas les princesses qui fréquentent le Web et les lieux de rencontres de succomber encore, encore et toujours.

Un hôtel particulier sur une presqu'île enchanteresse

Il habite un penthouse de luxe dans un immeuble bâti sur une toute petite presqu'île sur les bords de la rivière des Prairies. Cette rivière qui sépare deux villes, Montréal et Laval, prend sa source dans le lac des Deux-Montagnes et se déverse dans le fleuve Saint-Laurent.

Le pied-à-terre de Pierre Deaudelin au Québec non seulement domine deux villes, mais permet de voir loin, très loin. On peut aussi y assister au lever et au coucher du soleil.

Ses verrières, ses terrasses dominent et éclairent autant la ville de Montréal que Laval.

Il faut être annoncé pour arriver chez lui, car il devra déverrouiller l'ascenseur pour que vous accédiez à sa copropriété bâtie sur deux étages au sommet de l'immeuble. Autant dire qu'il habite un coffre-fort !

Et comme il a non seulement du goût, mais de l'argent aussi, la belle débarquera dans un décor luxueux qui n'a rien à voir avec le « tape-à-l'œil » des parvenus ou des nouveaux riches.

Tout est sobre et de bon goût chez lui.

On y trouve des matériaux nobles, comme cet escalier en chêne massif qui monte sur deux étages jusqu'à son bureau. Celui-ci s'ouvre sur une nouvelle verrière avec un salon adjacent, décoré aux couleurs de l'été.

Il peut inviter autant une femme que les cadres de son entreprise, ses clients ou ses fournisseurs à déguster un de ces grands thés qu'il connaît tout autant sinon mieux que la plupart des salons de Montréal.

Il réchauffe d'abord la théière avant de laisser infuser un thé blanc, bleu, jaune, vert, ou encore un de ces thés chinois cueillis par des singes sur les hauteurs de la province de Mandchourie.

Pierre Deaudelin n'est jamais prétentieux. Ni arrogant !

Il est au service de la classe moyenne !

Il est au service de ceux qui, comme lui, se sont bâtis à partir de peu ou de rien.

Mais revenons-en à Internet, qui propose des rencontres pour trouver l'homme ou la femme idéale.

Après une rencontre ou deux, le temps de se faire une idée, si la belle princesse décide de poursuivre le rêve, elle sera reçue chez lui, dans un décor digne des films à gros budgets de Hollywood.

Les murs de sa propriété ne sont pas décorés de papiers peints. Non, les murs, sur deux étages, ont été finement peints à la main par un artiste français de renom.

Aux murs, quelques œuvres d'art, dont une tapisserie iranienne que des femmes auront mis quelques années à tisser selon la méthode traditionnelle.

Pierre Deaudelin n'a rien de ces nouveaux riches qui veulent vous en mettre plein la vue en moins d'une heure !

Sa stratégie d'aménagement fut simple. Il aimait l'hôtel St. James, à Montréal, tout comme Mick Jagger, Al Gore, Robert De Niro et bien d'autres célébrités. Cet hôtel cinq étoiles, joyau du Vieux-Montréal, a été aménagé dans l'édifice de la Merchant's Bank au tournant du XIXe siècle. Dormir dans une ancienne banque est sans doute inspirant pour un homme d'affaires !

Pierre Deaudelin a exprimé ses besoins à son architecte d'intérieur, en lui précisant que la décoration de l'hôtel St. James lui plaisait. Aussi, il n'est pas étonnant de retrouver dans son salon des meubles de cuir haut de gamme de teinte foncée. L'appartement a été aménagé pour un homme seul. Une garçonnière de luxe. De très grand luxe. Et entretenue, astiquée au quotidien par une femme de ménage qui se consacre à son unique client.

Et le maître des lieux sait cuisiner et écouter

Quand la belle princesse aura franchi le seuil de la porte, elle sera saisie par la beauté et le bon goût des lieux. Elle sera charmée par les capacités de l'homme qui exprime un tel raffinement dans son décor et dans les plats les plus simples qu'il sait cuisiner. Il cultivait même sur une de ses terrasses, jusqu'à tout récemment, des fines herbes et des aromates dont il parfume ses recettes.

Oui, Pierre Deaudelin sait cuisiner.

Or, la plupart des femmes de sa génération ont été élevées par des mères qui ont exprimé à plus d'une reprise qu'elles se sont épuisées à préparer trois repas par jour, en plus de laver et de repasser pour toute une marmaille.

Petit Pierre devenu grand, lui, a une coudée d'avance sur les gars de sa génération : non seulement il connaît la qualité des produits qu'il achète, mais encore, grâce à sa mère, il a appris très tôt dans sa vie à se faire cuire un œuf.

Il est permis de se demander comment réagiront les belles princesses endormies qui attendent le prince charmant depuis si longtemps.

Pierre Deaudelin a un autre talent, à moins que ce ne soit un don de naissance : il sait écouter. Pas pour préparer sa réponse. Pas pour vous juger. Non ! Il devient aisément… écoute !

Et ça, c'est assez irrésistible, autant pour une femme que pour un homme, d'ailleurs !

Des « cœurs saignants »

Pierre Deaudelin attire les « cœurs saignants » ! En grand chevalier, il mettra tout en œuvre pour consoler « la belle princesse » de toutes ses blessures passées.

C'est un… sauveur !

Les femmes qu'il rencontre sont souvent des victimes. Il est spontanément touché par celle qui a été abandonnée par un goujat ou un irresponsable qui s'est soudainement évaporé après avoir « semé » un ou deux enfants.

La générosité du prince Deaudelin peut parfois s'étendre jusqu'aux grands enfants de la belle princesse, afin qu'elle cesse de pleurer. On m'a raconté qu'il lui est arrivé de payer maison et voiture à la progéniture d'une belle femme et même de financer des démarrages d'entreprises pour ses enfants.

On peut soupçonner que, pour une femme, un tel homme, c'est la manne, la corne d'abondance. Il paiera même les psychothérapies, si le besoin du moment le commande.

– J'attire les « cœurs blessés », dit-il !

Il multiplie les rencontres et les ruptures.

– J'ai de la difficulté à me laisser… aimer !

Le jour du baptême de Loïc, son premier petit-fils, il présente à sa famille et à ses proches une belle grande femme blonde qu'il a choisie avec sa tête. C'est une femme de carrière qui évolue dans le monde de la finance et de l'immobilier. Ils se fréquentent un moment, visitant, les week-ends, des relais gastronomiques et des hôtels de charme.

Puis, un jour de congé, Pierre se rend au cimetière Saint-Vincent-de-Paul, au mausolée de la famille Deaudelin, où reposent son grand-père Elphège et son père, et où lui-même veut être enterré, le jour venu.

Il est absolument bouleversé d'y rencontrer là la femme qu'il avait quittée quelques mois plus tôt. Elle est venue prier, en effet, pour que son amoureux lui revienne. Et voilà que son bien-aimé apparaît, bien vivant, dans le cimetière.

Il renoue avec elle, décide de faire avec elle un voyage au soleil.

Qu'adviendra-t-il de la femme qu'il a choisie avec sa tête ?

– C'est formidable, dit-il, de se retrouver dans de grands hôtels, de manger de bons plats préparés par de grands chefs, mais c'est agréable aussi de manger en improvisant des restes, chez soi, de temps en temps !

Ce qu'il veut dire par là, c'est qu'il n'est pas tout à fait à l'aise de faire la cour à des femmes de carrière qui ont des exigences qui ne sont pas inspirées par la simplicité du cœur. Une femme indépendante, une femme de carrière, aussi belle et passionnante soit-elle, ne pourra soutenir son intérêt très longtemps.

– J'ai besoin que l'on ait besoin de moi, ajoute-t-il !

Sur le plan sentimental, comme dans d'autres aspects de sa vie, il sait contempler ses contradictions, les analyser même. Cependant, là comme en affaires, c'est l'intelligence instinctive qui l'emportera, et non pas la passion, dont l'étymologie veut dire « pâtir ». S'il répète très souvent que c'est « Johnny-Boy » (c'est-à-dire le désir sexuel) qui décide, il n'en demeure pas moins qu'il en connaît aussi les limites dans une relation.

Il peut sembler parfois avoir besoin d'une relation fusionnelle avec une femme. Pourtant, dès qu'il a le sentiment que celle-ci veut l'accaparer, l'enfermer dans une cage sentimentale, le priver de sa liberté, il peut disparaître de sa vie aussi vite qu'il est apparu.

Prêt à tout donner quand on ne lui demande rien, il ne peut se sentir possédé, incarcéré dans une prison sentimentale.

L'égalité entre les hommes et les femmes : un concept ?

Il me faudra beaucoup de temps avant de saisir que les dyslexiques, les analphabètes, si on les observe d'un peu plus près, ne sont pas aussi désavantagés qu'il y paraît, selon la réalité sociale du moment. Dans les années 1950, plus de 50 % de la population du Québec ne terminait pas son école primaire.

Les ténors de la Révolution tranquille, c'est certain, ont fait faire un bond à ce petit peuple de Français d'Amérique et lui ont permis de passer de la « Grande Noirceur » à l'émancipation.

L'instruction gratuite, autant pour les garçons que pour les filles, a libéré beaucoup de mères et de pères et a donné naissance à toute une génération exprimant des valeurs bien différentes de celles vécues par la précédente.

Les rôles dans la famille, autant pour les femmes que pour les hommes, ont débordé de ceux qui jusqu'alors étaient uniquement assignés par la survie.

Si le grand-père Elphège revenait

Elphège, marchand d'œufs, de fromage et de beurre, s'il revenait passer quelques jours au XXIe siècle, que dirait-il de l'entreprise que son petit-fils a bâtie ?

Si on lui demandait de bâtir, en 2011, une firme alimentaire aussi importante que la compagnie Hudon & Deaudelin, comment s'y prendrait-il ?

Que dirait-il aussi des rapports entre les hommes et les femmes, qui ne reposent plus sur la nécessité ? Lui dont le succès en affaires a reposé sur sa capacité à s'adapter, à se saisir de toute occasion qui pouvait l'enrichir, accepterait-il d'investir et de s'investir autant dans sa vie de couple et dans sa vie de famille ?

Que penserait-il des droits égaux entre les hommes et les femmes ?

« La vie des hommes est plus facile ! »

Pierre Deaudelin, lui, reconnaît aisément que, malgré les changements sociaux survenus au Québec depuis la Révolution tranquille, la vie des hommes reste plus facile que celle des femmes.

– Elles continuent beaucoup de s'en faire pour des riens ! Une mèche de cheveux indisciplinée ou un ongle brisé peut remettre en question leur soirée. Le mot d'un enfant ou d'une amie peut être interprété d'une manière qui les torture pendant des heures et même des semaines, des mois. Moi, ajoute-t-il en riant, j'ai plusieurs kilos en trop. Ce n'est pourtant pas le centre de mes préoccupations, puisque les femmes trouvent ma bedaine plutôt réconfortante !

Quand sa fille Véronique, qui était en première année à l'école, est rentrée en pleurant parce que des petits garçons de sa classe l'avaient intimidée, il l'a fait monter dans sa voiture. Elle a pensé, un instant, que son père allait parler sévèrement aux petits « mâles » ! Il n'en fut rien.

Il a accompagné sa fille de six ans pour l'inscrire dans une école d'arts martiaux.

– Un père ne peut être toujours là pour protéger sa fille. Il fallait lui donner les outils pour qu'elle le fasse elle-même !

Un proverbe chinois ne dit-il pas : « Pour aider une personne qui a faim, ne lui donne pas un poisson. Apprends-lui plutôt à pêcher » ?

Véronique Deaudelin a obtenu le niveau de ceinture noire en karaté.

C'est une jeune femme très polie et douce en apparence. Cependant, aucun homme ne peut la harceler, car il recevrait une correction dont il se souviendrait pour le reste de ses jours.

Pierre Deaudelin a observé que certains hommes de la jeune génération ont intégré en eux des éléments féminins. Il se demande ce qui peut bien se passer chez un homme qui exprime ouvertement des qualités féminines.

Je lui cite à ce sujet Marguerite Yourcenar, la première femme admise à l'Académie française. Elle a dit : « Une femme qui n'aurait pas un peu de masculin en elle serait un chiffon. Quant à un homme qui n'aurait pas de féminin, il serait une brute. »

Pierre Deaudelin réfléchit un moment, puis ouvre un œil et déclare soudainement :

– Je suis plutôt une brute !

Il ne revendique aucune vertu, aucune qualité que l'on qualifierait de « féminine ».

Ni féminin ni masculin : simplement humain

Pourtant, c'est un protecteur. Il accompagnera une employée malade à l'hôpital, ce que son mari ne lui aurait même pas proposé. Il trouvera un emploi à une autre et interviendra assez souvent pour soulager la souffrance de l'une ou de l'autre.

Il ne le fait pas ostensiblement, afin qu'on le juge bon et généreux. Non, il le fera discrètement, simplement par amour de l'humain et parce que la souffrance, la douleur le touchent profondément. Chaque fois qu'il peut le faire, il accomplit les gestes appropriés, dit ce qu'il faut pour soutenir une femme aux prises avec des difficultés.

C'est ainsi que quelques-unes de ses collaboratrices se sont éprises de lui et qu'il a dû, plus d'une fois, dans de telles circonstances, établir de saines distances.

Aider, selon lui, n'est ni féminin ni masculin : c'est simplement... tout simplement humain.

S'il croyait à la réincarnation, la pire menace qu'on pourrait lui faire serait de lui proposer de renaître en femme. Pas même en femme de carrière, autonome financièrement et autrement.

– Vouloir dominer, écraser n'est pas ce que les hommes ont fait de mieux au cours de l'histoire de l'humanité. Ce n'est pas spécialement plus « humanisant » quand ce sont les femmes qui déclarent la guerre et qu'elles entendent gagner à tout prix. Avoir raison et donner tort à l'autre est trop facile et ne mène nulle part !

Il faut dire que celui qui s'exprime ainsi a bâti un empire en favorisant la croissance de ses clients comme de ses employés, autant en Chine qu'ici.

– Un succès n'est jamais le succès d'un seul homme. C'est celui d'une équipe. C'est celui des clients qui partagent la prospérité avec nous. C'est celui de plus de 3 000 employés, ici et en Chine, qui améliorent leurs conditions de vie.

Un jour, dans une usine en Chine, il découvre un jeune enfant enfermé dans une cage pour l'empêcher de s'immiscer dans la chaîne de production.

Les larmes lui ont monté aux yeux, et il a passé sa main au travers des barreaux pour caresser la tête du jeune enfant :

– Moi ou n'importe quel dirigeant de Transbec, nous n'avons pas à intervenir dans les manières de faire des Chinois ; celles-ci relèvent très souvent de la tradition. On n'est pas là pour « occidentaliser » ou « américaniser » nos amis. Tout ce que l'on peut faire pour améliorer leur qualité de vie est d'améliorer sans cesse leurs conditions de travail, de leur donner des salaires raisonnables et qui conviennent, en même temps, à l'évolution de notre entreprise.

Quand la dépression humanise

Il faut dire aussi que, depuis sa deuxième dépression, Pierre Deaudelin a appris à se fréquenter, à s'aimer en dehors de toute réalisation.

Des années de thérapie lui ont appris qu'il est responsable de ce que la VIE a fait de lui. Que le négatif peut se tourner en positif si l'action et la volonté se coordonnent.

S'il peut sembler «l'homme idéal» pour plusieurs femmes qui rêvent d'un homme riche ayant réussi, il n'en reste pas moins qu'il est un homme très différent de celui qu'il était dans la jeune vingtaine, dans la jeune trentaine, dans la jeune quarantaine et même dans la jeune cinquantaine.

Une nouvelle dépression survenue en 2001 allait cette fois le forcer à s'approfondir, à rencontrer ses blessures, celles qu'il a tenté de guérir, de recouvrir avec des succès financiers.

7

La dépression l'attendait à nouveau

Une nouvelle nuit noire

Malgré la montée vertigineuse de son entreprise sur le plan international, une nouvelle dépression l'attendait, qui marqua un tournant de son histoire. Elle a les mêmes origines que la première : toutes ses affaires sont dans sa tête, qui fonctionne jour et nuit. Une nouvelle composante vient cependant se rajouter : il prend soudainement conscience que sa compagnie n'a pas de relève. Qu'elle s'éteindra avec lui s'il ne donne pas un sérieux coup de barre.

– J'ai bâti l'entreprise avec des gens de mon âge. Ce n'est pas avec des gens de mon âge que je pouvais assurer une relève à Transbec, dit-il !

La dépression est une maladie étrange. Ce n'est que récemment, dans l'histoire médicale occidentale, qu'elle est considérée comme une maladie et traitée comme telle.

Il y a quelques décennies encore, cette maladie était considérée par la religion comme un péché que l'on nommait le désespoir.

Avec l'évolution de nos connaissances, on cessa de parler de « péché de désespoir », et la maladie fut prise en charge par la médecine moderne sous le nom de dépression grave, par opposition à dépression légère. D'ailleurs, il se pourrait bien que le mot *burnout* soit apparu pour rendre acceptables les nombreuses dépressions qui touchent autant les hommes que les femmes d'action. S'ils se « brûlent » à la tâche, les cadres des entreprises, les « battants » se sentiront moins honteux, moins faibles, moins méprisables et se laisseront plus facilement traiter par la médecine moderne.

Dans la littérature scientifique, vers la fin des années 1970, on parlait, entre autres, de dépression endogène par opposition à dépression situationnelle, qui est la conséquence d'un divorce, d'un deuil ou d'une perte professionnelle.

Du péché de désespoir à la maladie

C'est tardivement que la dépression est devenue une maladie « socialement » acceptable !

Cette méconnaissance de la santé globale n'est pas l'apanage de la médecine occidentale.

En Chine, il n'y a pas si longtemps, la dépression ou n'importe quelle autre maladie relevant de la psychiatrie était traitée d'une manière tout à fait étonnante : on faisait lire et répéter aux patients le *Le petit livre rouge* de Mao.

Aujourd'hui, sur différents sites Internet, on peut trouver beaucoup d'information sur cette maladie. On y apprend, par exemple, que cette maladie touche aussi de jeunes enfants. Qu'elle peut être causée par le stress, par une perte ou par une grosse déception. « Elle peut aussi se présenter sans aucune raison particulière, puisqu'elle peut être le résultat d'un déséquilibre chimique dans l'organisme. Certaines personnes sont en effet nées avec une prédisposition à la dépression » (source : Association canadienne pour la santé mentale – Les enfants et la dépression).

Quelle que soit la raison de sa maladie, Pierre Deaudelin vous dira qu'elle est très souffrante.

Si sa première dépression était la conséquence du fait « qu'il devient épuisant d'avoir tout son bureau dans sa tête », rappelons-nous qu'il ne l'a pas soignée. Il s'est plutôt tourné vers l'avenir en partant à la conquête de l'Orient pour devenir importateur. Transbec a pu ainsi obtenir une plus grande variété de pièces au meilleur coût possible. Quand il est revenu au Québec, en 1982, une première usine fonctionnait jour et nuit à Taïwan pour servir les intérêts de Transbec et de ses clients.

Au moment de sa deuxième dépression, survenue en 2001, la médecine, la psychologie et la psychiatrie avaient évolué en ce qui concerne le traitement de cette maladie, qui touche une personne sur cinq en Amérique du Nord.

Médecins et thérapeutes qui ont entouré Pierre Deaudelin dans sa dernière « nuit noire » ont-ils avancé l'hypothèse que la dépression pouvait être héréditaire ?

Sa mère était dépressive et a tenté, dès le début de son mariage, d'endiguer sa maladie en consommant des benzodiazépines au point d'en devenir dépendante. On prescrivait à l'époque des « calmants » aux femmes qui se sentaient impuissantes vis-à-vis de la vie. Il n'y avait rien d'autre.

La mère de Pierre Deaudelin faisait-elle une dépression quand elle a porté son premier enfant ? Peut-elle en avoir transmis l'« humeur » à son fils ? Ou encore, compte tenu de ce que l'on sait aujourd'hui de la vie utérine du fœtus, se pourrait-il que petit Pierre ait ressenti la profonde détresse de sa mère et qu'il l'ait portée très longtemps ?

De nouvelles hypothèses au sujet de ce mal mystérieux laissent entendre que, sur le plan psychologique, la dépression serait un programme de dévalorisation et de culpabilité.

Pierre se sentait-il coupable et dévalorisé parce qu'il ne savait ni lire ni écrire et qu'il était certain de ne pouvoir apprendre ? Il devait l'être aussi de ne pouvoir communiquer avec son père et de ne pouvoir soulager la souffrance dont sa mère le tenait responsable. Pierre Deaudelin a sûrement éprouvé des émotions bien difficiles à vivre dès son plus jeune âge. À défaut de pouvoir les exprimer, les partager, il s'est accroché, dans un instinct de survie, à l'image de champion que son grand-père Elphège projetait sur lui alors qu'il était tout petit.

– J'avais davantage confiance en moi à l'âge de sept ans que j'en ai aujourd'hui, dit-il. Tout était nul autour de moi. Sauf mon grand-père, qui m'aimait et que j'admirais. Mon idéal n'était pas d'afficher un diplôme au mur de mon bureau. Je n'étais pas capable de lire et d'écrire, mais, très tôt, j'ai appris à compter sur le bout de mes doigts et à m'adapter. Je me mêlais à tout ce qui se passait autour de moi. Des femmes me confiaient leurs problèmes alors que je n'avais que 10 ou 12 ans. Le cœur des femmes, c'est pur. Trop souvent, elles sont victimes de vautours !

Très jeune, il a fui sa misère en travaillant et en économisant l'argent qui provenait de ses efforts. Il reconnaît avoir éprouvé très tôt un problème par rapport à l'autorité. Il y faisait face en étant frondeur. Plus grand que les enfants de son âge et plus fort physiquement, il n'hésitait pas à répliquer même par les poings à quiconque voulait l'humilier, le diminuer.

On peut soupçonner quels mécanismes de défense se sont mis à l'œuvre chez un enfant qui n'a pu compter, tôt dans sa vie, sur ses parents pour le défendre et le protéger.

«Je mangeais d'l'argent!»

La survie de Pierre Deaudelin a été inspirée par l'image positive que son grand-père avait de lui. Il a absolument voulu démontrer, à lui-même d'abord, puis à tout son environnement, qu'il était digne de ce que son grand-père avait vu en lui.

Elphège avait connu la crise de 1929 et la longue période de la grande noirceur du Québec. Il les avait affrontées en faisant de l'argent son dieu.

Pierre Deaudelin a fait comme lui.

– Je mangeais d'l'argent, dit-il. J'en rêvais!

L'argent a été sa planche de salut. Sa rédemption.

Et comme son grand-père Elphège n'était plus là pour l'applaudir et assister à ses nombreux progrès en affaires, on peut se demander quel soutien affectif cet homme qui a du mal à se laisser aimer pouvait trouver autour de lui.

Sa fille Véronique se souvient que, quand elle était enfant, son père organisait toutes sortes d'activités en famille :

– Il voulait nous donner ce qu'il n'avait pas reçu, explique-t-elle.

Il doit être difficile d'accepter, quand on a bâti autant, de se retrouver plongé en pleine noirceur à l'intérieur. Enfermé en soi, piégé comme un hamster dans sa cage, qui court, court, roule, roule encore, tout en ayant le sentiment profond de tourner dans le vide.

Churchill a écrit au sujet de ses dépressions : « Je vois la bête noire arriver ! » Il y faisait face en s'adonnant à la maçonnerie. En lisant aussi. Et en écrivant.

Pierre Deaudelin n'a jamais lu un livre de sa vie.

Dans sa bibliothèque, il y a cependant des livres. Ils sont sans doute là à cause de la beauté des reliures en cuir avec franges et lettres dorées.

Ses millions, le succès de son entreprise ne l'ont pas empêché de sombrer dans une nouvelle « nuit noire ».

Sa compagnie avait déjà fait son entrée sur les grands marchés internationaux quand la dépression grave a voulu ralentir la marche de l'empereur québécois non seulement en Chine, mais en Amérique et en Europe.

Si, lors de sa première dépression, sa fuite l'avait mené jusqu'en Chine, la deuxième devait servir de tremplin non seulement pour son entreprise, mais... enfin pour lui-même.

Ses médecins le prennent en charge et trouvent d'abord des solutions pharmaceutiques à sa dépression et à ses insomnies. Pierre Deaudelin doit se reposer. Mettre sur « pause » la machine corporelle qui est sans repos. Ralentir ce cerveau qui pense, qui s'agite 24 heures sur 24.

Si son grand-père, son héros, lui a appris qu'il valait mieux trouver des solutions à ses problèmes que d'en parler, Pierre Deaudelin, agenouillé devant lui-même, accepte enfin de s'ouvrir à la caverne mystérieuse : celle des blessures de l'enfance qu'il avait réussi à colmater, à occulter, les recouvrant de conquêtes et d'argent.

Il est capable de reconnaître, aujourd'hui, qu'il avait érigé en absolu, dès son plus jeune âge, l'image de champion que son grand-père Elphège avait de lui.

Elphège avait traversé la crise de 1929 avec les moyens du bord, en improvisant constamment et en s'adaptant sans cesse, se saisissant de toute occasion pour passer, inconsciemment, de la survie à la vie, pour lui et pour sa famille.

Les méthodes et les conditionnements d'une époque sont de bien peu d'utilité, un siècle plus tard.

En 2001, Pierre Deaudelin a vécu un « 11 septembre » bien personnel. Comme des milliers d'Américains et des millions d'êtres humains, il a été confronté à la fragilité de la condition humaine, la sienne et celle de toute chose.

De la survie à la maturité

C'était sans doute le prix à payer pour passer de la survie à la vie et à la maturité humaine.

– L'essentiel, dit-il, est invisible à nos yeux ! citant la phrase du *Petit Prince*, de Saint-Exupéry.

Il ne l'a pas lu, mais il l'a entendu, puisque les livres audio existent maintenant.

Sa convalescence lui a permis de réaliser que, si ses géniteurs, ses parents Cécile et Robert, trop pris par leur misère personnelle, n'avaient pas pu se consacrer à l'édification de sa vie affective, émotionnelle et intellectuelle, lui est capable d'en prendre la pleine responsabilité aujourd'hui.

Il a rencontré ses fantômes, ses rages intérieures qu'il finissait par retourner contre lui-même.

On ne change pas son passé, mais on peut ne plus en être victime.

Il n'est plus, finalement, le champion uniquement d'un grand-père qui lui avait enseigné que le pouvoir, l'argent et la réussite financière le délivreraient de toute souffrance.

La dépression : « une halte routière »

Des années plus tard, Pierre Deaudelin parlera de la dépression dans ses mots à lui, avec les références qui sont propres au domaine qui lui a permis de dépasser sa misère :

– Avec le recul, dit-il, je regarde cet épisode de ma vie comme un routier le ferait. Forcé de s'arrêter dans une halte routière, il doit sortir sa carte, examiner le chemin d'où il vient pour choisir celui qu'il empruntera afin de poursuivre sa route. La dépression, c'est un moment d'arrêt nécessaire. Une halte routière. On prend rarement le temps de regarder le chemin parcouru et celui que l'on doit emprunter non seulement pour réussir dans la vie, mais encore pour réussir sa vie. La dépression est une manière que la vie nous donne pour regarder nos valeurs non seulement en regard des affaires, mais dans nos vies.

8

La découverte d'un nouveau monde

De moins en moins victime de lui-même, prenant de plus en plus conscience de ses limites, Pierre Deaudelin devient non seulement maître d'une entreprise qui affiche des millions de dollars de profits chaque année, mais il devient le maître de sa vie.

Il est capable de reconnaître qu'il avait développé des stratégies de survie afin de compenser tous les manques de son enfance. Ses systèmes de défense étant tombés, il découvre une énergie nouvelle, insoupçonnée.

Pour qui a accepté, comme lui, de s'ouvrir un jour à la connaissance de soi, un immense territoire reste à explorer. S'il a bâti une entreprise dont les racines vont jusqu'en Chine, il entend désormais explorer l'Orient et l'Occident de son être.

Il s'interroge sur ses valeurs, remet en question ses croyances devenues inutiles.

Il n'a pu trouver refuge dans les livres ni en écrivant sa détresse dans un journal secret.

Il arrive que, dans des moments extrêmes, certains trouvent Dieu tout au fond de l'abîme. Est-ce son cas ?

Quand Pierre Deaudelin a atteint l'âge adulte, les églises du Québec se vidaient progressivement. On peut soupçonner qu'un rebelle comme lui n'a pas cherché refuge, ou simplement le silence, dans ces lieux.

S'il avait eu le moindre intérêt de ce côté, il aurait été plutôt du genre à bâtir une église et à faire beaucoup d'argent avec celle-ci. Les religions sont un sujet, mais la foi provient d'une tout autre source. Est-ce que Pierre Deaudelin a la foi ?

« Dieu est humain, profondément humain »

Est-ce qu'il croit en Dieu ?

– Oui, dit-il ! Et je l'ai rencontré chez des femmes et chez des hommes. Dieu, ajoute-t-il, c'est la bonté, la générosité, l'honnêteté, l'intégrité, l'amitié, le respect, le sens du partage, la passion d'explorer ses talents et de se réaliser à tous les niveaux.

Après plusieurs semaines de convalescence, tout en se consacrant à la relève de son entreprise, il accorde enfin grand soin à son hygiène de vie, à sa santé physique et psychique. Il sait que la dépression est liée aussi à un manque de lumière quand l'automne s'annonce. Il achète des propriétés sur la côte est américaine et, dès qu'il sent son humeur s'assombrir, il part voir les reflets du soleil danser sur les vagues de la mer.

Il soigne particulièrement son hygiène de vie. Les repas gargantuesques bien arrosés de vins capiteux deviennent faits d'exception.

Il se rend à un gymnase privé, à Rosemère, trois fois par semaine.

Quand l'entraîneur est une femme

Ceux qui le connaissent bien disent qu'il est fidèle à son gym parce que ses entraîneurs sont des femmes. Un ami m'avait raconté que Pierre Deaudelin *coachait* ses entraîneuses sur le plan sentimental pendant qu'elles le *coachaient* sur le plan physique. Il les invite à se confier à lui quand elles ont des difficultés avec les hommes. Connaissant bien la psychologie masculine, il les écoute et les conseille. En contrepartie, il s'attend à être écouté et conseillé quand il se retrouve « en difficulté sentimentale ». Pourtant, s'il est vrai qu'il a créé un climat de complicité avec ses entraîneuses, il ne va pas à son club pour plaisanter.

Émilie Allard, une des jeunes femmes qui entraîne Pierre Deaudelin, est kinésiologue et elle étudie en ostéopathie depuis deux ans. Elle se spécialise dans la réadaptation, la performance physique et le poids santé. Voici comment elle parle de son client :

– Monsieur Deaudelin prend des nouvelles de nous, et s'il aime bien plaisanter avec nous, il n'en est pas moins très sérieux dans son entraînement. Il se consacre fidèlement, trois fois par semaine, à sa condition physique et n'arrive jamais en retard à ses rendez-vous. Quand il s'absente, pour des raisons d'affaires et pour ses voyages, nous sommes averties à l'avance. Plutôt que de travailler sur des machines avec lui, nous improvisons son entraînement, selon les besoins du moment. Nous pratiquons des étirements, travaillons la posture, voyons ensemble son alimentation, etc. Je vous dirais que monsieur Deaudelin prend autant au sérieux son entraînement physique que son travail.

C'est à son gymnase qu'il fera la connaissance du boxeur Antonin Décarie. Il se lie d'amitié avec lui.

S'entourer de gens passionnés

Il se passionne soudainement pour la boxe en échangeant avec le jeune athlète et avec les amis de celui-ci.

– Ma grand-mère maternelle, dit-il, avait 15 enfants. Elle se réjouissait d'être entourée d'enfants passionnés qui s'investissaient un dans les lettres, un autre dans les arts, un autre dans la musique, et un autre dans l'aviation, etc. J'ai besoin, moi aussi, d'être entouré de gens passionnés. Au contact d'Antonin, j'ai pris conscience de tout ce qu'il fallait de sacrifices, de discipline pour devenir un champion.

Un athlète ne mange pas n'importe quoi, ne laisse pas sa pensée voguer dans n'importe quelle direction. Un athlète ne fait pas bombance pour se récompenser du match de la veille. Antonin Décarie mène une vie d'ascète.

Ce style de vie exemplaire est stimulant pour un homme qui a été un boxeur dans le monde de l'automobile depuis les débuts de sa vie de jeune adulte.

Ressuscité de ses cendres, Pierre Deaudelin ne pousse plus jamais la machine jusqu'à l'extrême. Il travaille raisonnablement, s'amuse raisonnablement en s'accordant de plus en plus du temps de qualité. En plus de s'adonner à son entraînement physique, il se rend régulièrement en massothérapie.

C'est l'homme nouveau qui bâtira en 2006 le siège social de Transbec à Laval.

C'est l'homme nouveau qui se consacre à la relève de son entreprise. Il détecte les champions, les entraîne et les forme. Trois mousquetaires émergeront de l'expansion fulgurante de son entreprise : Philippe Desjardins, Dominic Deaudelin et Kevin Fleury.

L'amitié entre deux boxeurs

Parallèlement à son arène d'affaires, Pierre Deaudelin sécurise son champion-boxeur. En 2009, la compagnie Dai, une filiale de Transbec, verse un salaire hebdomadaire à Antonin Décarie afin qu'il puisse se consacrer pleinement à son art sans craindre l'insécurité financière pour sa famille.

En février 2010, Antonin Décarie, trois fois champion canadien dans les rangs amateurs, se retrouve en Floride, puis dans un camp d'entraînement en République dominicaine dans le but d'affronter, pour le championnat du monde, Souleymane M'Baye à Levallois-Perret, en banlieue de Paris.

Jusqu'alors, le jeune champion avait livré ses combats professionnels seulement au Québec. Il allait boxer pour la première fois à l'étranger.

C'est pourquoi Pierre Deaudelin a tenu à faire partie de la délégation du Québec qui s'est envolée vers la France pour soutenir le jeune athlète.

Si Antonin n'a pas gagné le match au Challenge Marcel-Cerdan, le vendredi 28 mai 2010, tous les chroniqueurs sportifs s'entendent pour dire qu'il a livré une bonne bataille.

Pierre Deaudelin avec le boxeur Antonin Décarie.

Et c'est ça qui compte pour Pierre Deaudelin : faire de son mieux !

Au lendemain du match, il console son ami :

– Perdre un combat, c'est rien ! Tu t'en es tiré dignement : 113 à 116. Je ne connais personne qui aurait mieux fait que toi. Perdre une bataille n'est pas perdre la guerre.

Antonin Décarie avait livré combat pour la première fois en terre étrangère. Tout comme Pierre Deaudelin l'avait fait en Chine, 28 ans plus tôt.

À l'image du jeune champion qu'il soutient, Pierre Deaudelin s'alimente bien, boit peu d'alcool et, plutôt que de s'adonner à la douche quotidienne pour être propre et performant, il découvre les joies d'un bain parfumé à la lavande ou à l'eucalyptus, le soir. Cela réduit sa consommation de somnifères. Il achète les sels de bain à pleine caisse et en donne aussi à ses amis.

La dépression, si l'on y regarde d'un peu plus près, est un signal d'alarme exprimé par le corps et le système nerveux.

Si l'on reste attentif, des horizons insoupçonnés s'ouvrent sur une vie qui se renouvelle d'elle-même.

Pierre Deaudelin ne s'attarde jamais sur le sujet, sur cette nouvelle sensibilité à la vie qu'il découvre. Car, il n'y a pas si longtemps, cette nouvelle saveur, plus fine et plus sensuelle, semblait réservée presque exclusivement aux filles.

Un homme du temps d'Elphège devait être fort, dur et ne jamais pleurer.

Pierre Deaudelin est issu de cette lignée d'hommes qui ont bâti le Québec avant la Révolution tranquille. Ils devaient être robustes pour affronter les forêts, les rivières et les fleuves pendant la dure saison. Sinon, ils n'auraient pas survécu. Si les gens de la campagne pensaient souvent que la vie « en ville » était plus facile, ils devaient découvrir, en déménageant avec leur famille, que la vie urbaine convertissait souvent l'homme, le travailleur, le mari, le père en pourvoyeurs de famille parfois très nombreuse.

Ces hommes-là, très souvent, consommaient beaucoup d'alcool pour « geler » la région du cœur. Beaucoup plus tard, une nouvelle mode est venue : se consacrer au corps, aux nouvelles habitudes alimentaires, à l'hygiène de vie. Cette mode a inspiré de nouvelles manières de vivre aux Québécois.

Auparavant, les hommes ne pouvaient se permettre de laisser remonter le flot d'émotions et de sentiments cachés en eux. Même les femmes, à une époque pas si lointaine, ne leur auraient pas permis. Il fallait se soutenir dans des rôles très clairement définis pour faire face aux difficultés.

Un baby-boomer qui n'a pas eu le temps d'être jeune !

Bien qu'il soit un baby-boomer, puisqu'il est né après la guerre, Pierre Deaudelin, qui n'a jamais eu d'enfance, n'avait jamais pris le temps d'être jeune. Tout comme son modèle, Elphège, il ne s'est permis aucune douceur en dehors des repas gastronomiques, des voitures et des motorisés de luxe qu'il s'offrait. La vie, la seule possible, consistait en un combat quotidien.

– Maintenant, dit-il, je sépare Transbec de Pierre Deaudelin. Avant, je n'aimais pas ma vie. Comme j'ai plus d'argent que de temps devant moi, je prends soin des deux, en m'entourant le mieux possible.

C'est depuis peu qu'il découvre la beauté de la Vie, celle qui n'a pas de prix. Celle qui n'est pas un combat, mais l'héritage sacré que chacun porte en soi et qui rend toute chose belle et digne d'amour !

QUATRIÈME PARTIE

Une planète nommée Transbec

9

Une famille reconstituée

Le seul lieu où le succès précède le travail est le dictionnaire.

Vidal Sassoon

Les employés de Pierre Deaudelin sont sa famille. Il les aime. Ses employés l'aiment aussi.

Celui qui, pendant des années, avait tout son bureau et sa comptabilité dans sa tête connaît au moins par leur prénom la plupart des employés de Transbec.

Entre deux voyages en Europe ou en Asie, il se promène régulièrement dans son immense entrepôt. Il retourne à la base qui restera toujours, pour lui, une importante source d'inspiration.

Son oncle Marcel me dira un jour, après avoir rendu visite à son neveu au quartier général de Transbec :

– L'entrepôt de Pierre est tellement propre que l'on pourrait manger par terre. C'est bien qu'il en soit ainsi, car, quand un entrepôt n'est pas propre, les employés crachent par terre !

Pierre Deaudelin a été élevé dans l'entrepôt de son grand-père. S'il est passé de l'alimentation aux pièces d'automobiles, il n'en a pas moins conservé la leçon au sujet de la propreté.

Cependant, une composante que n'a pas connue Elphège se retrouve dans l'entrepôt de Transbec : il s'agit d'une véritable place des nations. Des Québécois de toute origine et de toute race s'y retrouvent : des Vietnamiens, des Haïtiens, des Cubains, des Chinois, des Portugais et même un Cosaque du Kazakhstan. Ces hommes, ces femmes quantifient, classent et mettent en boîtes des milliers et des milliers de pièces d'autos qui partiront dans toutes les directions par camion, par train, par avion ou par bateau.

Les employés de Transbec sont la famille de Pierre Deaudelin. Vient-il d'apprendre, en jasant avec l'un ou l'autre, que Will qui emballe des pièces est un musicien de fin de semaine ? C'est lui, et nul autre, qui devra prendre la direction de l'orchestre qui jouera au prochain party de Noël des employés et des cadres de l'entreprise.

Pierre Deaudelin n'hésite pas à accompagner un proche collaborateur de son entreprise qui traverse une période de vie difficile, que ce soit un divorce ou un décès. Il est présent à la vie de chacun et y participe.

Un succès n'est jamais celui d'un seul homme

La structure organisationnelle de Transbec n'a rien à voir avec celle que l'on peut trouver dans les livres relatant les *success stories* d'entreprises hyper-hiérarchisées.

C'est plutôt une structure familiale, celle d'une famille reconstituée qui pourrait s'agrandir au-delà de toute limite connue. Son grand-père n'était-il pas à la tête d'une tribu qui augmentait d'année en année ?

Lui, cependant, contrairement à son grand-père, qui est d'une autre époque et d'un autre caractère, il souhaite que chaque membre de sa famille prospère, que chacun soit au moins propriétaire de sa maison.

Ça fait des mois que je dois rencontrer la « relève » de Pierre Deaudelin.

Difficile d'inscrire à l'agenda des dirigeants de Transbec une rencontre qui n'a rien à voir avec les affaires quotidiennes, les clients, les représentants, etc.

Quel intérêt pour les directeurs de recevoir une femme qui est occupée à écrire un livre sur *Chief, Capitaine* ou *Big Kid,* les surnoms qu'ils donnent, entre eux, au président, selon l'occasion ou les humeurs de celui-ci.

J'avais déjà roulé sur l'autoroute 440, à Laval, jusqu'à la sortie Montée Saint-François et Pie-IX.

J'avais tourné à gauche, à la montée Saint-François et, au premier arrêt, j'avais bien aperçu le siège social de Transbec, rue Ernest-Cormier, à Laval. On ne peut pas rater un immeuble qui occupe tout le quadrilatère.

Avant d'arriver, j'avais fait une recherche pour vérifier si Ernest Cormier avait accompli quelques faits historiques dans le domaine de l'automobile et de ses composantes.

Quel lien peut-il y avoir entre Ernest Cormier, Pierre Deaudelin et Transbec? Ingénieur de formation, Ernest Cormier a étudié le génie civil à l'École polytechnique de Montréal et a obtenu son diplôme en 1906. Il a poursuivi sa formation à l'École nationale supérieure des beaux-arts de Paris.

De retour au Québec après un séjour en Italie, il a enseigné à l'École polytechnique de Montréal de 1921 à 1954.

Sa maison, la Maison Ernest-Cormier, qu'il dessina lui-même et fit construire en 1930-1931 sur l'avenue des Pins, à Montréal, fut classée monument historique par le gouvernement québécois en 1974 et rachetée, dans les années 1980, par l'ancien premier ministre canadien Pierre Elliott Trudeau.

C'est aussi étrange, comme rapport, que celui entre Norman Bethune et Pierre Deaudelin, en Chine.

Ce jour-là, je suis arrivée chez Transbec avec une bonne demi-heure d'avance, car j'avais l'intention de visiter l'entrepôt.

Mélanie, une jeune femme qui travaille à l'administration, accepte de me faire faire le tour de l'entreprise. Elle a commencé à travailler pour la compagnie alors qu'elle était âgée de 19 ans. Sa mère y travaillait déjà depuis 20 ans. Elle a commencé à la base, au service de l'emballage, puis grimpa graduellement les échelons et se retrouva, plus tard, au service administratif de l'entreprise.

Une ruche d'abeilles. Plusieurs voitures électriques circulent. Elles saisissent des boîtes, les hissent tout en haut de grandes tablettes ou les descendent et les portent dans de gros camions. D'immenses palettes de boîtes sont chargées : elles prendront la route vers les dix provinces canadiennes. D'autres encore sont placées dans des conteneurs qui prendront le train ou encore le bateau. D'autres arrivent de Taïwan ou de Chine.

Je venais visiter un entrepôt de pièces d'autos, et voilà que je me retrouve sur une planète complètement animée par des humains qui manipulent des machines, des pièces, des boîtes, comme s'ils interprétaient une chorégraphie composée par un magicien.

Si l'on avait fait jouer *La flûte enchantée* de Mozart au moment où Mélanie et moi circulions dans de larges allées, je n'aurais pas été étonnée. Comme je ne le serais pas non plus si, d'ici quelques années, la progression horizontale de l'entrepôt se poursuivant, le *Chef* faisait installer des feux de circulation pour arrêter les visiteurs quand le signal est au rouge, et pour leur permettre de passer quand le feu tourne au vert. Pour le moment, ça ne semble pas nécessaire. Tout se déroule silencieusement et dans un grand ordre.

Je connaissais les dimensions du bâtiment de Transbec, mais je n'avais aucune idée de ce que peuvent représenter 163 000 pieds carrés sur deux ou trois étages. Ce jour-là, après ma visite, je ne me suis pas sentie obligée de faire 20 minutes de marche rapide pour ma santé.

La relève

C'est en reprenant mon souffle que je suis entrée dans le bureau du directeur général, Philippe Desjardins, qui a joué un rôle important dans la vision de la relève de Pierre Deaudelin.

Bel homme, distingué, la trentaine, Philippe Desjardins était un représentant de la compagnie avant d'accéder à son poste actuel. Il vient du monde du sport, où il vendait « du luxe » jusqu'en 1989. Quand il y a récession, les consommateurs réduisent d'abord leurs achats de produits de luxe.

Son père, André Desjardins, qui était agent dans le domaine de l'automobile, l'a présenté à Pierre Deaudelin. C'est ainsi que, dans la jeune vingtaine, Philippe Desjardins change complètement de domaine pour entrer, en janvier 1998, au service de Transbec. Il pratiquera désormais ses sports préférés seulement dans ses moments de loisir.

Il habite Sainte-Anne-des-Lacs et n'est jamais coincé dans les bouchons de l'autoroute 15, puisqu'il est à son bureau dès 6h le matin pour préparer sa journée et celle des autres. Il est le père d'une petite fille de trois ans qui s'appelle Rose : Rose Desjardins.

Philippe Desjardins est un « monsieur », disent ses principaux collaborateurs. Et ils rajoutent : « Il se tient avec des "messieurs" ! »

On peut lui faire confiance. Il est sérieux et ne se laisse jamais démonter, quelle que soit la situation. À moins qu'elle ne soit provoquée par le *Chef*. Philippe Desjardins est un homme pondéré, tout en nuances.

Au volant d'une Mercedes SL 55 AMG

À l'automne 2004, Pierre Deaudelin – qui a toujours eu des motorisés qui ont grandi et grossi au fur et à mesure de sa fortune – demande à Philippe Desjardins s'il veut bien conduire sa voiture neuve, une Mercedes SL 55 AMG, sur la côte est, où il prend ses vacances. Quand on sait à quel point certains hommes s'identifient à leur voiture, on soupçonne déjà la confiance que le président devait avoir envers cet employé que tous voyaient déjà comme un… monsieur.

Il devra suivre pendant des heures et des heures la « Prévost », le motorisé de 1,8 million de dollars que son patron conduit devant lui.

J'ai demandé à monsieur Desjardins si une Mercedes neuve devait rouler à vitesse réduite le temps de son rodage. Il m'a répondu en souriant :

– Il n'y a jamais de vitesse réduite avec Pierre Deaudelin !

C'est sur le bord de la piscine d'un centre de villégiature pour motorisés de luxe que Pierre Deaudelin lui a proposé d'envisager la possibilité de diriger l'entreprise.

À cette époque, la direction générale était assumée par un homme plus âgé qui passait ses hivers en Floride. L'envergure de l'entreprise ne permettait probablement plus qu'elle soit « pilotée », trois mois par année, à distance par télécopieur ou par téléphone.

Bien que cette proposition fût flatteuse pour Philippe Desjardins, elle ne fut pas aussi facile à accepter qu'il peut le sembler. Comme représentant, il avait développé un territoire qui lui permettait de très bien gagner sa vie. De plus, il aimait ses clients. Entre eux, une relation de confiance s'était établie au fil des ans. Il ne voulait pas, il ne pouvait pas les abandonner ou les confier au premier venu.

Cependant, comme il avait étudié en marketing à l'École des hautes études commerciales, on lui demandait déjà, depuis quelques années, de passer une journée par semaine à l'administration, afin qu'il puisse exprimer ses idées, en équipe, au sujet de l'évolution de l'entreprise.

Philippe Desjardins, après avoir consulté son épouse et des amis qui sont des gestionnaires d'entreprises, est entré dans son nouveau rôle de directeur général en février 2005.

Il avait développé, au fil des ans, une expertise en marketing, mais son don de naissance est la communication. C'est un homme élégant, à la fois réservé et capable d'entrer en relation. Il sait écouter et moduler sa pensée en fonction de son interlocuteur.

À la direction des achats : le fils Deaudelin

Dominic, le fils aîné de Pierre Deaudelin, est grand, mince et sérieux. Il voyage régulièrement avec son père à Taïwan et dans toute la Chine continentale depuis qu'il a l'âge de 18 ans.

Comme il est très discret, pour ne pas dire hermétique, j'ai demandé à un employé au service de Transbec depuis de nombreuses années ce qu'il pensait du fils Deaudelin. Voici sa réponse :

– Dominic travaille à Transbec depuis qu'il est tout petit ! Dès le primaire, il passait le balai dans l'entrepôt. Il a monté les marches de l'entreprise une à une. Alors qu'il faisait ses études en administration à l'École des HEC, il connaissait déjà tous les départements de l'entreprise et aurait pu remplacer n'importe quel employé au pied levé. Il ne s'est jamais comporté en « gosse de riche ». Il a travaillé pour payer ses études.

Avec son père, il a participé à l'implantation de nombreuses usines sur toute la Chine continentale. Comme les Chinois, il observe plus qu'il ne parle. Il a été nommé directeur des achats chez Transbec en 2006.

Une administration sans mur

Une des premières choses que le nouveau directeur général a faite en coiffant son chapeau a été de défoncer les murs de son bureau pour l'ouvrir sur celui qui allait devenir le bureau du directeur des ventes.

Kevin Fleury est beau comme une star de cinéma et aussi intense qu'un derviche tourneur. Il a fait ses études primaires en français et s'est inscrit à une école anglaise de Laval pour compléter ses études secondaires. Il passe d'une langue à l'autre comme si un hémisphère de son cerveau était entièrement dédié au français et l'autre à la langue des affaires internationales. Il ne serait pas du tout étonnant d'apprendre qu'il étudie le mandarin dans ses temps libres.

Kevin Fleury, tout comme Philippe Desjardins d'ailleurs, représente assez bien la ligne adoptée par Pierre Deaudelin pour bâtir sa relève.

Fils d'un agent manufacturier dans le domaine de l'automobile, c'est au cours d'une exposition d'autos qu'il a été repêché par le président de Transbec, qui a dit à son père : « J'ai besoin d'un garçon parfaitement bilingue pour travailler à Transbec ! Si ton fils est intéressé, qu'il vienne me voir dès que possible ! »

Kevin a joué tous les rôles dans l'entrepôt de Transbec. Depuis le département de la cueillette des produits jusqu'à l'emballage en passant par le bureau des commandes, où il a servi les clients autant au comptoir qu'au téléphone avant de devenir représentant à Toronto en 2001.

Il avait atteint sa zone de confort et a fait savoir au « Capitaine » qu'il stagnait et qu'il s'ennuyait en Ontario, où il n'avait plus de défis à relever.

À Laval, Pierre Deaudelin avait fait entrer en 2007 toute une gamme de nouveaux produits : des filtres à huile, des cardans, des pompes à eau, des amortisseurs et bien d'autres encore. En 2008, il avait fait l'acquisition de la compagnie Direct Auto Import, qui a emménagé au siège social la même année.

D'un commun accord, le président et le directeur général de l'entreprise rapatrient au Québec le fougueux Kevin Fleury pour lui proposer la direction des ventes. Il entrera en poste au mois de janvier 2008. Et le mur séparant le bureau de Desjardins de celui de Fleury fut abattu en juin 2008. Inutile de dire qu'ils n'ont pratiquement pas de secret l'un pour l'autre.

Kevin Fleury communique quasi quotidiennement avec ses représentants, organise des conférences téléphoniques en anglais puis en français. Il crée des promotions et éteint quotidiennement différents feux.

– Car, dit-il, gérer des représentants, c'est négocier constamment avec des individualistes, des leaders qui ont chacun leur personnalité.

Ses hommes gagnent 100 000 $ au minimum par année. Ceux qui voudraient se contenter de moins, Kevin n'en veut pas !

Il avait certainement déjà entendu dire par Pierre Deaudelin à un représentant, quand il menait l'entreprise en solitaire : « Si tu ne gagnes pas 100 000 $ cette année, je te congédierai ! »

Pour Kevin Fleury, le succès repose sur l'action de gens passionnés qui voient grand, sont très ambitieux et sont capables non seulement de se dépasser, mais encore de se surpasser.

Sa stratégie de base est simple : se préparer au pire en espérant toujours le meilleur.

« La trentaine, pas de bedaine ! »

Si les Cowboys Fringants rencontraient la relève de Pierre Deaudelin, ils devraient réécrire une ligne de leur chanson *Les étoiles filantes*.

Car les trois mousquetaires de Transbec ont la trentaine, mais pas de bedaine.

Ils doivent se soumettre à un examen médical annuel en clinique privée. Comme des athlètes, leur capacité cardiaque et pulmonaire est évaluée. Même le taux de gras dans le sang est mesuré. Des tests psychologiques leur sont aussi proposés afin de faire évoluer constamment leurs capacités cérébrales.

Transbec prend bien soin de ses hommes. Pierre Deaudelin sait le coût auquel s'expose une entreprise qui s'investit à fond dans les affaires en négligeant la personne, la plus importante richesse naturelle d'une entreprise.

Autour de la table de conférence du bureau du directeur général, ce jour-là, Éric Dupont, responsable du contrôle de la qualité chez Transbec, s'est joint aux trois mousquetaires. Il revenait de mission en Chine, où il avait accompagné son président, visité les usines, s'assurant que les clients de « sa » compagnie obtiendraient la meilleure qualité possible.

Éric Dupont, lui aussi, a commencé à la base, chez Transbec.

Il venait de vendre sa compagnie de remorquage, et il s'est retrouvé à la réception puis au service des commandes de Transbec. Je ne sais qui a remarqué qu'il était un entrepreneur-né, mais cet homme dans la jeune trentaine a atteint, en moins de quatre ans, un poste comportant d'importantes responsabilités.

Je demande à ces hommes comment ils entrevoient l'avenir de l'entreprise quand les voitures passeront, par exemple, du pétrole à l'électricité. C'est Kevin Fleury qui donne la réponse.

– Quand les autos rouleront à l'électricité, elles auront quand même besoin de freins, de suspen-

La relève de Transbec, Kevin Fleury, directeur des ventes, Dominic Deaudelin, directeur des achats, et Philippe Desjardins, directeur de la multinationale.

sion, d'ampoules, de câblage électrique, d'amortisseurs, etc. Transbec sera là ! Quand les voitures voleront sur la Lune ou sur Mars, Transbec sera toujours là !

La famille reconstituée de Transbec avec son président, Pierre Deaudelin (au centre) avec les cadres de sa compagnie et leurs employés.

10

Un nœud gordien

Un jour de novembre 2010, Pierre Deaudelin, qui a bâti sa relève, se trouve devant une pénible évidence. Un dilemme ! Son fils Francis, le jumeau de sa fille Véronique, devra être remercié par « sa » compagnie.

Il connait Transbec depuis qu'il est tout petit. Il a déjà travaillé ailleurs que dans l'entreprise de son père, mais il y est revenu après quelques années.

Tous ceux qui le connaissent ou qui ont travaillé avec lui s'entendent pour dire que Francis Deaudelin a un talent de vendeur absolument remarquable. Ce genre de talent qui ne se fabrique pas et ne se développe pas dans les grandes écoles. Il semblerait que l'on doive davantage parler de « don de naissance ». Pierre Péladeau m'avait dit au sujet de ces personnalités charismatiques : « Ils ne te vendent jamais rien ! C'est toi qui achètes d'eux ! »

Au fil des ans, Transbec a grandi. Des structures nouvelles avec leurs lois, leurs règles, leurs nouveaux directeurs se sont progressivement installées pour faire passer l'organisation de la compagnie de celle d'une PME à celle d'une grande entreprise qui a désormais un rayonnement international. Il semblerait que le fils cadet de Pierre Deaudelin a éprouvé quelques difficultés d'adaptation par rapport au nouvel ordre établi, qui sera désormais une « structure en mouvement », apte à s'adapter à toutes les circonstances.

Il doit être pour le moins délicat de congédier le fils du président.

Il doit être difficile pour un père président d'y consentir.

À la suite de consultations auprès de professionnels et d'experts, il s'avère que l'entreprise ne peut accueillir les personnes qui ne savent pas jouer en équipe.

– S'il était propriétaire de son entreprise, ce qui semble des défauts aujourd'hui seraient des qualités, explique Pierre Deaudelin.

Néanmoins, il doit faire face à une réalité difficile.

Est-ce que les intérêts de l'entreprise doivent transcender les liens personnels, ou est-ce l'inverse ?

Pierre Deaudelin n'aura pas le choix !

Une entreprise est un organisme vivant constitué de centaines et de centaines de cellules, toutes aussi importantes les unes que les autres.

Si Pierre Deaudelin a bâti une relève, s'il a largement contribué à cette famille reconstituée pour voir au plus grand bien de l'entreprise, il devra consentir à privilégier la famille reconstituée plutôt que celle qui est déterminée uniquement par la biologie.

Pierre Deaudelin ne peut plus se demander ce que son grand-père Elphège aurait fait. Elphège Deaudelin ne pourrait absolument pas l'aider, le conseiller. Car son vénéré grand-père, lui, a tenu ses fils en tutelle jusqu'à ce qu'ils puissent le racheter.

Pierre Deaudelin, âgé de 57 ans, est trop jeune pour vendre son entreprise. De plus, comme il a bâti plus gros et plus grand que son grand-père, un fils ou l'autre, ou les deux ensemble, auraient-ils les moyens de racheter Transbec à sa valeur, en 2010 ? Sans connaître le chiffre d'affaires de Transbec, on peut soupçonner qu'il est impossible d'envisager une telle solution.

On appelle ça, un dilemme. Un nœud gordien !

Chaque famille a le sien. Il semblerait que certaines familles se le transmettent de génération en génération.

Le nœud gordien est une difficulté que l'on ne peut résoudre, un obstacle que l'on ne peut surmonter.

Alfred de Musset a écrit :

Ah ! C'est un grand malheur, quand on a le cœur tendre,
Que ce lien de fer que la nature a mis
Entre l'âme et le corps, ces frères ennemis !
Ce qui m'étonne, moi, c'est que Dieu l'ait permis.
Voilà le nœud gordien qu'il fallait qu'Alexandre
Rompît de son épée et réduisît en cendre.

La sagesse amérindienne, devant l'adversité ou en toute circonstance difficile, exige de questionner sa mort et de la laisser... répondre.

Dans une telle perspective, peut-être bien que, dans quelques années, on dira que la compagnie Transbec a rendu service à Francis Deaudelin.

Dans une famille, cependant, il n'est pas toujours aussi aisé de vivre ce genre de situation. Père, mère, frères et sœur peuvent-ils se parler d'autre chose que du congédiement, de la compagnie, des affaires ?

Ce sujet, les affaires, a occupé une place centrale dans la famille de Pierre Deaudelin.

La famille Deaudelin est marquée, depuis Elphège et peut-être même avant, par un nœud. Si l'on pouvait tirer une photo dans l'invisible d'un arbre généalogique transmettant les liens du sang qui ont été obscurcis par des malentendus, des secrets de famille, on pourrait bien y voir apparaître les éléments suivants :

• Robert Deaudelin, le troisième fils d'Elphège, avait peur de son père et entretenait une colère contre lui. Il avait peine à communiquer et avait trouvé refuge dans son travail.

• Pierre, fils de Robert, n'a jamais été soutenu par son père et a souffert de sa froideur. Si bien qu'il a rompu tout lien avec lui pendant 25 ans. Il a revu son père seulement quelques mois avant son décès, afin de s'assurer que celui-ci aurait les meilleurs soins dans une maison de santé de qualité.

• Robert Deaudelin est décédé le 2 juin 2009, le jour même de l'anniversaire de naissance de son fils Pierre.

Dominic Deaudelin, le fils aîné de Pierre, aime à la fois son père, son frère, sa famille et l'entreprise au sein de laquelle il évolue depuis toujours.

Il est aussi le père du petit Anthony, né le 9 décembre 2009. Ce deuxième petit-fils a été baptisé le 20 juin 2010, le jour de la fête des Pères.

Un jeune vieux

Dominic, le fils aîné de Pierre Deaudelin, est « un jeune vieux ». Il fait partie de ces enfants du divorce qui semblent doués pour réconcilier les « contraires », les composter pour produire une synthèse unique. Selon son frère Francis, le caractère de Dominic le prédisposait à devenir directeur des achats.

– Très jeune, il collectionnait les cents noirs. Introverti la plupart du temps, il était dans sa chambre et voyait à l'achat de monnaie pour sa collection.

Face à l'inéluctable, Dominic a loué une maison de campagne à Saint-Donat afin que la famille se réunisse pour pratiquer des activités de plein air qui permettront à chacun de se rencontrer, de célébrer la vie sans qu'il soit question de « business », de « conflits », etc.

Appartenant à une génération d'hommes d'affaires qui ne privilégient plus seulement les affaires, Dominic ose espérer que la vie de chacun s'épanouira pour le mieux.

Il y aurait tout un chapitre, passionnant à lire et à écrire, sur les affaires et les liens du sang.

Tous les lecteurs ont à l'esprit, en ce moment, une histoire ou une autre d'une belle entreprise de chez nous détruite par les héritiers des fondateurs. Celle de l'empire Steinberg, par exemple.

Les liens du sang ne sont faciles pour personne.

Le succès d'une entreprise, l'opulence, la richesse qu'elle génère ne pourront jamais effacer les liens du sang, c'est certain.

Cependant, chacun devra apprendre que, si le sang véhicule le fer dans l'organisme, il distribue également l'oxygène.

La vie de l'entreprise, qui a été la **SURVIE** de Pierre Deaudelin, est passée par cette épreuve difficile et… nécessaire.

Plusieurs mois plus tard, bien après qu'une entente fut intervenue entre Transbec et le fils Francis, j'ai demandé à le rencontrer pour savoir où il en était après son exode de l'entreprise « familiale » :

– Ce ne fut pas facile, explique-t-il, parce que l'histoire de l'entreprise est intimement liée à une histoire d'amour, celle de la famille, et ce, depuis mon plus jeune âge. Il fallait que je me vide de Transbec pour me rétablir et trouver mon élan pour une vie professionnelle désormais tout autre.

Quand je fais allusion au nœud gordien qui semble se perpétuer de génération en génération dans la famille Deaudelin, il m'interrompt :

– En ce qui me concerne, cette lecture des faits n'a rien à voir avec ma réalité. Mon grand-père paternel, Robert Deaudelin, n'a jamais été là pour son fils. Ce n'est pas mon histoire ni celle de ma sœur et de mon frère Dominic. Notre père a toujours été présent pour nous. Cependant, contrairement à son grand-père, qui se présentait toujours comme l'autorité suprême à laquelle on devait se soumettre, notre père, lui, a toujours été gentil, calme, généreux et attentif. Même s'il ne jouait pas au ballon ou à d'autres jeux avec nous, il n'en reste pas moins qu'il a toujours été là, présent, pour nous.

Un revers professionnel, la maladie, une apparente défaite ont toujours été, pour de grands hommes et de grandes femmes, des occasions insoupçonnées de revirements inattendus.

Que goûterait l'œuf si l'on ne cassait pas sa coquille ?

Ce « desperado » qui a fait un long chemin de conquête en Chine au profit de son entreprise, on peut soupçonner que, depuis 2001, il s'est ouvert à un monde intérieur qui l'inspirera dans les prochaines décennies. Désormais, il doit tenir compte non seulement de sa famille issue du sang, mais encore de sa famille reconstituée qui se nourrit d'oxygène, laissant le fer, le métal et l'acier aux pièces destinées aux automobiles.

Un volcan... sans lave

Dans une première rencontre avec les cadres supérieurs de la compagnie Transbec, sans son président, j'ai exprimé que, personnellement, j'aurais peur de la colère de Pierre Deaudelin.

Devant cette sorte d'intelligence instinctive qui perçoit et analyse toutes les composantes d'une situation donnée, je me suis représenté soudainement un ordinateur victime de « combustion spontanée », comme dans un film de science-fiction.

Philippe Desjardins, son directeur général, m'a répondu spontanément :

– C'est vrai ! Pierre Deaudelin peut être un **VOLCAN** ! Mais c'est un bon volcan qui explose… sans que la lave fasse jamais de dommages !

Le président, semble-t-il, n'est impulsif qu'en apparence, quand il s'agit des destinées de l'entreprise !

Il jauge tout événement, toute circonstance, à la lumière d'une intelligence intuitive. Telle une petite flamme qui éclairerait femme et homme en tenant compte de leur caractère, du potentiel qu'ils ont, et sachant en quelque sorte instantanément comment ceux-ci évolueront dans telle ou telle situation.

C'est à la fois fascinant et… très… très… déstabilisant !

Même pour une biographe !

Car l'écriture, en dépit de tout ce que l'on dira ou écrira, est rarement… neutre.

Pas besoin d'être blessé dans nos sentiments, notre amour-propre pour qu'un mécanisme de base s'installe en nous : il consiste, consciemment ou non, à avoir raison et à donner tort. La communication ne passe plus, on projette sur l'autre uniquement la représentation que l'on a de lui ou d'elle. C'est pourquoi, dans une famille de 10 enfants, aucun n'a eu le même père ou la même mère, puisque chacun, dès sa naissance, les reçoit avec sa sensibilité particulière, ses limites particulières et son caractère.

Francis, le deuxième fils de Pierre Deaudelin, porte-t-il en lui une ombre transgénérationnelle qui existait avant même sa naissance? Il semblerait que non. Peut-être que, comme son père, il était nécessaire qu'il sorte du giron familial pour se mesurer à l'inconnu.

Pierre Deaudelin a quitté le monde de l'agroalimentaire qui avait marqué son enfance et sa vie de jeune adulte pour s'investir dans le monde des pièces d'autos.

Francis Deaudelin, lui, explore le monde de l'énergie, des ressources naturelles et de la téléphonie.

– Comme mon père, mon grand-père et mon arrière-grand-père, je voulais m'investir dans un domaine qui touche tout un chacun au quotidien.

Les grands défis de la vie ne sont pas imposés seulement par la carrière, la vie professionnelle et financière, mais encore par notre caractère, nos difficultés ou notre aptitude à faire face aux événements.

Les trois mousquetaires sont quatre

Une amitié née des affaires vaut mieux qu'une affaire née de l'amitié.

David Rockefeller

Le directeur des finances, Bernard Lachance, vient compléter la relève de Transbec.

Contrairement aux trois mousquetaires (Desjardins, Deaudelin et Fleury) qui viennent de l'intérieur de Transbec, lui vient de l'industrie de l'automobile, un domaine dans lequel il travaille depuis plus de 20 ans. Comptable agréé de formation, il a été le vice-président directeur d'une importante compagnie de fabrication et de réusinage de pièces d'auto avant d'entrer à Transbec, en avril 2009, à titre de directeur des finances.

Il a une vue panoramique sur l'ensemble de l'industrie, dont le chiffre d'affaires atteint des milliards de dollars seulement en Amérique du Nord.

Le cheval sauvage de l'industrie

Quand un homme se trouve vraiment au sommet de l'échelle du succès, il n'est jamais seul, car nul ne peut s'élever au succès authentique sans amener d'autres avec lui.

Anonyme

Grâce à lui, le lecteur aura une meilleure idée de la manière « non conventionnelle » de bouger de l'homme d'affaires québécois Pierre Deaudelin.

– Une industrie, dit Bernard Lachance, est une autoroute balisée par de multiples entreprises. Pierre Deaudelin est connu de tous, mais il galope depuis toujours en marge de cette autoroute. C'est un cheval sauvage qui court sur une route de terre qu'il a lui-même bâtie au fil des ans, autant ici qu'en Orient.

L'industrie, l'autoroute ne saura jamais quel chemin il empruntera, puisque lui-même semble improviser selon l'inspiration du moment.

– Pierre Deaudelin, ajoute-t-il, a été un précurseur dans l'industrie. Ce qui pouvait sembler absolument « irrationnel » il y a 15 ans est devenu une manière naturelle de bouger, de prendre des décisions, etc. C'est lui qui avait raison, finalement, en pressentant l'avenir et en l'inventant.

Depuis, non seulement la méthode Transbec a été copiée, mais elle inspire plusieurs compétiteurs.

L'industrie de l'automobile n'a rien à voir avec l'industrie culturelle, où chacun travaille à préserver le droit de propriété intellectuelle.

Quand je pense informer Pierre Deaudelin que l'on copie son entreprise, que l'on s'inspire désormais de lui, que l'on reproduit la méthode Transbec, sa réponse m'a éclairée sur les règles du jeu dans l'industrie automobile. Celles-ci relèvent davantage de la loi du plus fort que d'un code d'éthique écrit et respecté.

– C'est excellent, dit-il, que l'on nous copie. C'est signe que nous sommes dans la bonne voie !

Pour Bernard Lachance, qui a été le vice-président directeur d'une entreprise de 400 employés, les perspectives de Transbec s'annoncent bien, puisque Pierre Deaudelin fait reculer sans cesse les limites, les frontières de cette industrie.

– C'est un entrepreneur d'une intelligence vive, rempli d'imagination et d'idées. Son cerveau analyse tout le temps. Sa grande force est de s'entourer, aux endroits stratégiques, des personnes qui ont des talents, des aptitudes complémentaires aux siennes. Il n'a pas peur des forts.

Si Pierre Deaudelin insiste pour que sa relève grandisse en même temps que l'entreprise, s'il veut – exige même – que chacun soit propriétaire de sa maison, il n'intervient pas dans la vie personnelle de Bernard Lachance, qui a dix ans de plus que les gars de la relève :

– Les gars de la relève, il les aime comme ses enfants. Il a un rapport affectif avec chacun d'eux.

Il se rend à un match de boxe avec l'un, voyage avec l'autre, se fâche avec Kevin en lui disant : « Je ne pourrai jamais te congédier, j'ai trop de plaisir à t'engueuler ! »

Le jour de la fête des Pères en 2010, on célébrait le baptême du petit Anthony, le fils de Dominic et le deuxième petit-fils de Pierre Deaudelin. Pour l'occasion, il recevait chez lui non seulement ses enfants Dominic, Véronique et Francis, mais encore ceux de sa famille reconstituée.

11

Un partenaire incontournable

On a vu que le grand-père Elphège a accompagné son petit-fils, dès son plus jeune âge, à la banque de son quartier pour lui apprendre à ouvrir un compte. Quel lien Pierre Deaudelin entretient-il maintenant, 50 ans plus tard, avec les banques et les banquiers ?

Tous les entrepreneurs, tous les bâtisseurs vous le diront : la banque et le banquier sont des partenaires incontournables dans toute entreprise.

Peu de temps avant d'entreprendre la construction de son nouvel immeuble à Laval, Pierre Deaudelin a dû changer de banque :

– J'avais besoin d'une banque qui pourrait mieux me soutenir dans mes actions et transactions sur le marché international, explique-t-il.

Signe du destin : une femme banquière

Chez RBC, sa nouvelle banque, Pierre Deaudelin a traité avec une directrice de compte, Isabelle Savard. C'était une dame non seulement qualifiée, mais également ravissante. Elle connaissait bien la mentalité des entrepreneurs de la trempe de Pierre Deaudelin.

Cependant, la lune de miel entre Pierre Deaudelin et sa nouvelle banque – et surtout sa banquière – fut de courte durée. Isabelle Savard ayant été promue à un poste différent, c'est Vincent Trudel, comptable de formation, qui est devenu le directeur de compte principal de Transbec auprès de la Banque Royale.

Un changement de garde pendant une étape aussi délicate que la construction de la nouvelle bâtisse de Transbec, rue Ernest-Cormier, à Laval, n'avait rien de rassurant pour Pierre Deaudelin, qui avait accordé sa confiance, dans un moment stratégique du développement de son entreprise, à une autre personne.

Pierre Deaudelin n'accorde pas sa confiance à n'importe qui ni à n'importe quelle condition. Il a bondi à un échelon supérieur de la hiérarchie de la RBC pour se plaindre du changement et pour demander le rapatriement immédiat de madame Savard dans son dossier.

Vincent Trudel raconte :

– J'ai réalisé assez rapidement que, si un fort lien de confiance n'était pas établi entre Pierre Deaudelin et moi, non seulement nos affaires étaient menacées, mais l'avancement des travaux de construction serait perturbé. C'était à moi de mériter sa confiance. Le problème n'était pas le PDG de Transbec qui avait des projets, mais la qualité des relations qui permettrait de créer et de maintenir un niveau de confiance élevé.

Pour Pierre Deaudelin et pour son nouveau banquier, l'occasion de résoudre un conflit né d'une information erronée se présentait :

– Je lui ai donné le numéro de mon téléphone cellulaire et lui ai fait promettre de ne jamais accumuler d'angoisse ou de frustration. Je l'ai invité à me téléphoner à n'importe quelle heure, raconte Vincent Trudel.

Lors des étapes du financement de la nouvelle bâtisse, le constructeur s'est plaint à Pierre Deaudelin que la banque causait des délais injustifiés. Pierre Deaudelin a suivi le conseil de Vincent Trudel et l'a appelé illico.

Grâce à cette communication, Pierre Deaudelin a réalisé que les documents attendus par la banque dépendaient de l'entrepreneur et non de la banque.

Une colère constructive

Informé de la provenance du grain de sable qui obstruait les rouages de la machine bancaire, Pierre Deaudelin, très fâché, s'est rendu chez l'entrepreneur. Il s'est précipité, sans rendez-vous, dans le bureau du comptable. Il a saisi l'homme par la cravate et a exigé que le papier réclamé par son directeur de compte soit livré dans l'heure qui suit.

Ce qui fut fait !

C'est ainsi que le lien de confiance entre Pierre Deaudelin et son nouveau banquier, Vincent Trudel, s'est établi.

Cette relation d'affaires s'est maintenue et s'est manifestée de différentes manières au fil des diverses négociations entre Vincent Trudel et Pierre Deaudelin.

Quand il s'agit de transactions majeures, une banque équivaut aux qualités humaines de son directeur de compte, à sa disponibilité !

Un grand entrepreneur par opposition à un intellectuel de la finance

Lorsqu'un dirigeant supérieur de la RBC est venu de Toronto pour visiter quelques entreprises majeures au Québec, Vincent Trudel n'a pas hésité à organiser une visite chez Transbec, qui est un modèle dans son secteur. Le cadre en question est un homme bardé de diplômes universitaires, un véritable intellectuel de la finance qui étudie à longueur de journée des dossiers remplis de chiffres, au sujet desquels son jugement pourrait avoir des conséquences sur la stabilité de l'institution qu'il représente.

Sa visite chez Transbec, cette compagnie qui évolue depuis plus de 30 ans dans une industrie mature, l'a sans doute impressionné. Cependant, pas autant que son président, à qui il avait demandé, d'entrée de jeu, comment il avait commencé en affaires :

– À sept ans, je vendais des œufs de porte en porte dans le quartier Villeray de Montréal, et à l'âge de 12 ans, je vendais des cigarettes en contrebande aux prisonniers de Bordeaux, lui a répondu spontanément Pierre Deaudelin.

Vincent Trudel dit de son client, Pierre Deaudelin :

– Cet homme est capable de gérer avec fluidité une entreprise d'envergure internationale. Il sait décrire son modèle d'affaires aussi clairement que s'il s'agissait d'un petit commerce de souliers au coin d'une rue. Sa façon d'imager et de simplifier les situations m'impressionne. Avec lui, je suis en présence d'une grande intelligence qui englobe et synthétise tant d'actions simultanément, résume Vincent Trudel.

Et il continue :

– « Penser autrement » résume bien ce qui caractérise l'entrepreneur Pierre Deaudelin.

Monsieur Trudel admire chez son client non seulement sa manière unique de trouver des solutions, mais encore sa façon de voir et de prévoir les situations tout en restant conservateur, car il doit envisager une certaine marge d'erreur et en tenir compte pour ne pas se décevoir ni nous décevoir.

– S'il rêve grand, il reste cependant toujours pratique, réaliste.

À peine quelques mois plus tard...

Quelques mois après la fin des travaux de construction du nouvel entrepôt de 100 000 pieds carrés à Laval, Pierre Deaudelin téléphone à Vincent Trudel pour le consulter au sujet d'un agrandissement de 60 000 pieds carrés supplémentaires en vue de maximiser le potentiel du terrain. Il envisageait alors de louer des espaces à d'autres entreprises en attendant que Transbec en ait besoin au fil de sa croissance.

– Il m'a demandé si je pensais qu'il avait les moyens d'agrandir.

Vincent Trudel lui a répondu, connaissant mieux l'homme, sa manière de bouger, et maîtrisant tout le dossier de son entreprise et de ses ramifications sur le plan international :

– Tu peux agrandir immédiatement ton entrepôt. Tu peux même l'utiliser comme une allée de quilles, si jamais tu ne trouves pas de locataires !

Cette évaluation, cette « marge de manœuvre », Pierre Deaudelin en a toujours eu besoin pour ne pas vivre avec le sentiment que sa compagnie pourrait appartenir, à court, moyen ou long terme, à son partenaire bancaire.

Le projet a été mis en veilleuse, jusqu'au jour ou Pierre Deaudelin lui a annoncé qu'il avait une raison valable d'agrandir.

Il venait de faire l'acquisition d'une compagnie dont les activités étaient complémentaires à celles de Transbec. L'agrandissement de son immeuble devenait ainsi tout à fait justifié.

– Avant de vendre quoi que ce soit à quelqu'un, m'a expliqué un jour Pierre Deaudelin, tu dois d'abord guérir le client dans sa tête ! Quand un client potentiel semble avoir des réticences ou des objections non réglées, il ne sert à rien de tenter de faire une transaction et de partir en courant. Mieux vaut aller au fond des choses avec lui, lui faire comprendre notre modèle d'affaires pour qu'il saisisse bien pourquoi il peut maintenant s'attendre à obtenir de la qualité à un prix favorable, tout en conservant son indépendance vis-à-vis des géants de l'industrie.

Pierre Deaudelin a une vision à long terme non seulement de son entreprise et de son évolution, mais encore il inscrit sa compagnie dans sa connaissance du marché international de l'automobile.

12

Le « Péladeau de l'auto »

L'intelligence n'est pas de comprendre le compliqué.
Le vrai talent simplifie le compliqué !

Guylaine Trudel

Parfois, pour tracer un portrait plus précis ou plus proche de la réalité, il faut faire des détours à la recherche d'indices, de témoignages qui cerneront davantage le leader, le bâtisseur dont il est question. Car Pierre Deaudelin, qui rebondit si aisément pour nous faire rire, parle assez peu de lui-même.

Le témoin d'une époque

En 1989, Pierre Deaudelin est allé chercher dans l'industrie une « grande pointure » qu'il a connue alors qu'il devait encore, mais de moins en moins, s'approvisionner auprès d'une compagnie appartenant à des juifs montréalais.

Michel Comtois avait suivi un cours en technique automobile à l'âge de 18 ans. Deux ans plus tard, il se retrouvait derrière le comptoir de ICM Automotive, un entrepôt de la rue Bates mal chauffé en hiver. Les employés étaient à peine bien traités, et l'argent, les recettes passaient bien avant le client.

– Comme j'étais le seul Québécois, c'est à moi que Pierre Deaudelin posait question sur question. Il ne se souciait pas seulement des prix, mais aussi, et je dirais même surtout, de la qualité des produits qu'il allait revendre. Il voulait avoir toutes les réponses aux questions que lui poseraient ses clients. Il s'assurait de la qualité de ce qu'il proposerait à ceux-ci. Il vendait déjà plus que des pièces d'autos. Il avait engagé son nom, son honneur dans son entreprise.

Michel Comtois a commencé par la vente au comptoir de pièces d'autos. Puis, il a poussé plus loin son expérience dans cette industrie en partant sur la route à la conquête de clients qui viendraient augmenter son revenu et celui de l'entreprise qu'il représentait.

– À cette époque, explique-t-il, il fallait attendre qu'un représentant prenne sa retraite ou meure pour obtenir un territoire et une clientèle. Les jeunes représentants devaient commencer en région éloignée. C'était, en même temps, une époque charmante. Certains clients, au Lac-Saint-Jean ou dans le Bas-du-Fleuve, nous recevaient chez eux. Ils nous présentaient à leur femme et à leurs enfants. Un lien d'amitié se nouait. C'était l'époque des voyageurs de commerce!

Michel Comtois a connu Pierre Deaudelin à ses débuts en affaires, alors qu'il chargeait son camion de pièces le matin pour aller les livrer, la même semaine, dans des garages et des stations-service de la région de Montréal.

Un pur sang

– C'était un «pur sang», dit-il aujourd'hui de Pierre Deaudelin. Lui, non seulement il savait vendre, mais encore, il savait acheter. Il n'opérait jamais à sens unique: les achats, pour lui, étaient tout aussi importants que les ventes. Il se souciait de ses clients, de la qualité des produits qu'il leur livrait quotidiennement.

Pierre Deaudelin a eu confiance en Michel Comtois dès sa première rencontre avec lui. Peut-être parce que, en considérant l'expérience avec ses clients, les réponses à ses questions se sont révélées vraies. Car Pierre Deaudelin posait des questions et attendait des réponses claires et précises sur chacune des pièces qu'il achetait.

Même quand il était déjà manufacturier, il continuait de téléphoner régulièrement à Michel Comtois pour connaître son opinion sur ceci ou sur cela, ou encore pour échanger sur les grandes tendances du marché.

– Il me demandait mon avis sur tel ou tel produit. Je ne faisais plus de vente au comptoir, et pourtant il m'invitait régulièrement à venir le voir en me disant que son entrepôt était sorti de son sous-sol. Comme je voyageais beaucoup, je remettais sans cesse à plus tard une visite à son entrepôt.

Pourtant, une fin de journée de 1989, alors qu'il était dans l'est de Montréal, Michel Comtois décide de faire un détour vers la rue Philippe-Panneton avant de rentrer à Ahuntsic, où il habitait à ce moment-là.

Pierre Deaudelin était dehors, dans le stationnement. Il reconnut le visiteur et l'invita immédiatement à entrer. Il lui fit visiter son entrepôt, qui contrastait, par son ordre et sa propreté, avec celui où ils s'étaient connus.

– Pierre Deaudelin, dit-il, est un homme physiquement imposant, avec une voix puissante. Quand il dit quelque chose, ça porte, si vous voyez ce que je veux dire ! C'est pour ça que, pendant longtemps, dans l'industrie, il a été perçu comme un homme dur. Et même comme un gros méchant, ajoute-t-il en riant !

Transbec venait de quitter son entrepôt de 3 600 pieds carrés de la rue Masse pour un espace de 10 000 pieds carrés, rue Philippe-Panneton, à Montréal-Nord.

– Il était si fier de me faire visiter son deuxième entrepôt. Il me répétait, comme il me l'avait dit au téléphone, qu'il était sorti de son sous-sol, qu'il n'était plus au bas de l'échelle de l'industrie. Il avait commencé l'importation de pièces et il avait du flair non seulement pour faire usiner, mais encore pour pressentir les besoins futurs des automobilistes.

Ses clients étaient sa famille

En 1989, Pierre Deaudelin a convaincu Michel Comtois, de quelques années son aîné, de venir travailler chez Transbec.

– Il voyageait déjà régulièrement en Asie pour s'assurer que les usines lui fourniraient la quantité et la qualité qu'il souhaitait. Il m'a donc confié ses clients. Il n'a pas été facile, pour lui, de se détacher de ses clients. Même s'il avait confiance en moi, il était anxieux de savoir si le service allait être aussi bien assuré que par lui-même. Il me téléphonait tous les jours, à la même heure, pour que je lui raconte comment ça s'était passé avec un tel et un tel. J'allais bientôt apprendre qu'il vérifiait régulièrement auprès de ses clients et amis s'ils étaient satisfaits de mes services. Ses clients étaient sa famille, et elle méritait ce qu'il y a de mieux !

Au fil des ans, Pierre Deaudelin était fier de répéter à Michel Comtois que son entrepôt était propre, très propre, que ses employés étaient bien traités, et que toutes ces conditions rehaussaient les standards de l'industrie.

Le missionnaire de Transbec

De vendeur itinérant ou voyageur de commerce, Michel Comtois est devenu le missionnaire de Transbec. Parce que cette compagnie était la vocation de son président. Rien de moins ! Non seulement il a parcouru le Québec et l'Ontario pour la compagnie, mais encore, c'est lui qui a entraîné quelques représentants de la relève, notamment le fils Francis, qu'il a connu à l'âge de 16 ans.

– Les enfants de Pierre Deaudelin ont été élevés dans l'entrepôt, où leurs deux parents travaillaient du matin au soir. C'étaient des enfants bien élevés et discrets. Ils connaissaient non seulement le nom de toutes les pièces, mais encore où les trouver en moins de temps qu'il n'en faut pour le dire. Francis a un grand potentiel, ajoute-t-il. Un jour, son père l'a envoyé dans l'Ouest canadien pour ouvrir ce territoire. Quand son fils a exprimé un doute sur ce qui surviendrait s'il ne réussissait pas, il lui a répondu qu'il pourrait toujours revenir au siège social pour emballer des pièces pour l'expédition.

En servant bien Transbec, Michel Comtois, lui, se préparait une retraite dorée.

– Pierre Deaudelin est un homme exigeant, continue-t-il. Cependant, il traite bien ses employés. J'étais très bien rémunéré pour faire ce que j'avais à faire non seulement comme représentant, mais encore comme mentor pour entraîner sa relève. Chaque semaine, j'étais invité à luncher avec sa femme et lui. Ils étaient tous les deux intéressés par mon expérience, mes commentaires, mes idées. Ailleurs dans l'industrie, fortement contrôlée par des Québécois d'origine étrangère, le personnel n'avait pas droit au chapitre. C'est à peine si on leur offrait du poulet frit à Noël !

Pierre Deaudelin allait bientôt prendre la tête du peloton et changer les règles du jeu dans cette industrie, parce qu'il n'a jamais travaillé uniquement pour lui. Dans son idée, son plan d'affaires, c'est que toute la classe moyenne devait s'enrichir en même temps que lui. Les clients qu'il a servis alors que lui n'était qu'un *peddler* sont devenus, 30 ans plus tard, d'importants fournisseurs de pièces d'autos. Les représentants de Transbec sont devenus des hommes d'affaires qui roulent dans des voitures de luxe. De plus, Pierre Deaudelin exige de tous ses cadres qu'ils soient propriétaires d'au moins une maison. Si « ses hommes » gagnent beaucoup d'argent, ce n'est pas seulement pour faire la fête, mais encore pour vivre dans une pleine sécurité financière, en protégeant toujours leurs arrières. Car, pour Pierre Deaudelin, quel que soit le succès que l'on connaisse, dans n'importe quel domaine, la réalité nous proposera toujours des revers, des épisodes sombres à traverser. C'est pourquoi il exige que chacun ait un toit sur la tête avant d'investir son argent dans quoi que ce soit d'autre. Au fond, comme son grand-père Elphège, il favorise que chacun devienne un entrepreneur à l'intérieur même de son entreprise.

À l'âge de 63 ans, Michel Comtois s'est retiré pour vivre à Sainte-Adèle, dans les Laurentides. Il fait du vélo tout l'été, apprend à vivre lentement et à célébrer la vie quotidiennement.

Les règles du jeu dans l'industrie de l'automobile ont beaucoup changé avec l'informatique et Internet. Elles laissent sans doute beaucoup moins de place aux relations humaines chaleureuses. Autrefois, on était reçu et considéré comme un partenaire par la famille et les employés du client.

Cependant, Michel Comtois reste encore en relation avec certains collègues de l'époque et aime écouter ce que Pierre Deaudelin a toujours à dire sur différents sujets et sur cette industrie qu'il a tellement bouleversée.

«Translight» et le *Godfather*

– Pierre Deaudelin est un avant-gardiste, un innovateur, continue Michel Comtois. Alors que les phares des automobiles, dans les années 1980–

1990 avaient une durée de vie très courte, il a lancé les phares « Translight » qui émettaient une lumière bleutée, comme ceux des voitures allemandes de luxe. Ces phares éclairaient non seulement mieux, mais encore ils duraient beaucoup plus longtemps que ceux que le consommateur pouvait trouver sur le marché.

Celui qui ne sait ni lire ni écrire n'en est pas moins à l'école quotidiennement. Il apprend de tous ceux qu'il rencontre et qui l'intéressent. Et pas seulement des Chinois, des Coréens ou des Taïwanais.

– Ses premiers entrepôts étant situés dans l'est de Montréal, Pierre Deaudelin a connu et fréquenté, à ses débuts, la communauté italienne de Montréal, raconte encore Michel Comtois. Il a hérité d'eux plusieurs traits de caractère propre à cette communauté. C'est un *Godfather*, un protecteur de ses clients, de ses employés. Comme dans une famille, lui a le droit à ses commentaires sur celui-ci ou celui-là, mais personne d'autre n'a le droit de le faire, ajoute-t-il en riant. C'est « le Péladeau de l'auto » !

Une des forces de Pierre Péladeau a été de pressentir et de devancer les modes dans les journaux, les magazines et l'imprimerie. Il créait aussi des événements, tel le Gala des artistes, pour soutenir la promotion et la vente de ses journaux.

Le laser du potentiel humain

Une autre caractéristique de Pierre Deaudelin, qu'il partage, sans le savoir, avec Pierre Péladeau, le fondateur de Quebecor, est de savoir détecter le talent, le vrai potentiel d'un individu, celui qui est souvent insoupçonné par les autres.

Par exemple, il a fait confiance, un jour, à un de ses employés qui avait commencé à la base, dans l'entrepôt de Transbec. Sa connaissance des milliers de produits l'a amené, quelques années plus tard, jusqu'au bureau des commandes, qu'il prenait au téléphone.

– C'était un homme grand et gros avec des tatouages sur les bras. Il avait vraiment l'air d'un « dangereux », raconte Michel Comtois ! Quand je rentrais, il me disait : « Un jour, Comtois, j'aurai ton job ! »

Étant donné que, dans ce monde-là, on ne donne pas forcément dans la poésie, le « vendeur étoile » de Transbec répondait :

– Commence d'abord par t'habiller comme du monde ! Aucun client ne te prendrait au sérieux. Pour le moment, t'as juste l'air d'un dangereux ! Tu ferais peur à n'importe quel client !

Pourtant, Pierre Deaudelin, lui, avait détecté le vrai potentiel de ce gars-là ! Il a réussi à le faire « habiller en monsieur ». Puis, un jour, il a demandé à Michel Comtois de l'entraîner en l'amenant avec lui pour visiter des clients.

– Je n'en croyais pas mes oreilles. Ni mes yeux. J'ai emmené le futur représentant avec moi. Au début, il restait en retrait. Il écoutait discrètement mes présentations. Contrairement à un représentant qui serait venu de l'extérieur de Transbec, lui, il connaissait bien les produits, parce qu'il avait commencé à l'intérieur. Il avait emballé des pièces d'auto. Il avait donc une connaissance de toutes les pièces. Un jour, Pierre Deaudelin a su qu'il pourrait servir les clients qui téléphonaient chez Transbec. Plus tard, il est parti sur la route. Depuis, il est devenu un super-vendeur.

Pour pourvoir un poste ou pour développer un nouveau territoire, Pierre Deaudelin a toujours regardé à l'intérieur de son entreprise avant de se tourner vers l'extérieur. Point n'est besoin chez Transbec d'attendre qu'un vieux représentant meure ou prenne sa retraite pour obtenir une promotion ou de l'avancement.

Cette entreprise est toujours en expansion depuis plus de 20 ans. Elle rachète régulièrement des entreprises ou en démarre de nouvelles. C'est pourquoi les jeunes qui commencent à la base peuvent mesurer le terrain de jeu qui les attend pour exprimer leur capacité de travail, développer parfois une aptitude ou un talent qu'ils ne soupçonnaient même pas au moment où ils ont été embauchés.

Ce qui est invisible à nos yeux

Un jour, un homme à la recherche d'un emploi a postulé chez Transbec. Son curriculum vitae posait cependant problème puisqu'on pouvait y déceler une absence de 14 ans du marché du travail. Pierre Deaudelin l'a reçu et lui a bien sûr demandé ce qu'il avait fait pendant 14 années, sans travailler.

– J'étais en prison.

Pierre Deaudelin le questionne et apprend que l'homme avait commis des vols à main armée dans des banques.

– Tu entrais vraiment dans une banque avec un révolver à la main et les commis te donnaient de l'argent ? demande Pierre Deaudelin.

– Oui, monsieur !

– Tu es embauché immédiatement. J'attendais un homme comme toi depuis des années.

– Mais, monsieur, je suis en liberté conditionnelle. Je ne peux plus commettre des vols de banque.

– Si tu as été capable de faire ce que tu as fait, tu n'auras pas fait 14 ans de prison pour rien. Il faut du cran et une force incroyable pour faire ce que tu as fait. Tu vas te servir de toutes tes forces désormais au profit de Transbec. Tu vas connaître beaucoup de succès ici. Voici un carnet de bons de commande et une liste de clients que tu serviras. Tu visiteras ces clients et tu ne dois jamais sortir sans avoir rempli et fait signer un bon de commande.

Cet homme est resté au service de Transbec pendant plus de huit années. Son agent de correction a téléphoné régulièrement à Pierre Deaudelin pour tenter de comprendre comment il s'y prenait avec son dur à cuire. Car lui avait toujours eu de la difficulté avec cet ancien détenu. Au fil des ans, il a eu l'occasion d'être très impressionné par le revenu annuel de l'ex-détenu. Un jour, il a même déclaré à Pierre Deaudelin :

– Écoutez, il gagne le double de mon salaire, et tout à fait légalement. Comment êtes-vous arrivé à ce résultat ?

En réalité, Pierre Deaudelin avait vu le potentiel de l'homme, l'a encadré adéquatement et lui a fait confiance.

Puis, un jour, il a visité le Mexique et a décidé de s'établir dans un petit village en montagne. Pierre Deaudelin m'a raconté qu'il était devenu un résidant illégal au Mexique.

Confiance et intégrité

Je voulais rencontrer un des premiers clients de Pierre Deaudelin. Quelqu'un qui pourrait me parler de ses débuts.

C'est ainsi que je me suis rendue au Garage Arcaro & Frères, situé au 9125, boulevard Gouin, dans l'est de Montréal, pour rencontrer Dominic Arcaro, qui aime Pierre Deaudelin comme un frère. Immigrant d'origine italienne, il venait d'acheter son garage à Rivière-des-Prairies, et Pierre Deaudelin allait livrer lui-même des pièces d'autos.

C'est son fils Rocco qui me reçoit, en attendant que son père arrive. Il a été élevé dans ce garage. Il m'a même trouvé des factures écrites à la main des commandes que son père passait à Pierre Deaudelin alors que celui-ci habitait au 6481 de la rue Bonneville, appartement 7, à Montréal-Nord.

– Les commerces qui ont 30 ans sont très rares, m'explique-t-il. Mon père et Pierre Deaudelin sont comme des frères. Ils lunchaient souvent ensemble au garage. Pierre Deaudelin prenait les sandwichs de mon père. Il aimait aussi les saucisses italiennes marinées que ma grand-mère préparait.

Quand la famille Arcaro est devenue propriétaire du garage, c'était en quelque sorte un petit dépanneur d'auto qu'elle avait acheté, avec une ferme pour loger et nourrir la famille.

– Nous avons acheté ici, à Rivière-des-Prairies, raconte Dominic Arcaro, parce que nous n'avions pas les moyens d'acheter ailleurs. Nous avons commencé très modestement.

Quand Pierre Deaudelin a connu Dominic Arcaro, celui-ci ne parlait ni le français ni l'anglais. Pierre Deaudelin avait sans doute de l'admiration pour cet homme et sa famille, qui avaient commencé à zéro, comme lui.

À cette époque, il y avait chez les Arcaro un autre attrait aux yeux de Pierre Deaudelin : ils avaient des poules et un coq qui couraient sur le terrain. Le petit fils d'Elphège, qui avait miré des œufs dans le sous-sol de son grand-père pour devenir ensuite «vendeur d'œufs» à l'âge de sept ans, se retrouvait en terrain connu.

Quand j'ai raconté à Dominic Arcaro et à son fils Rocco que la première usine de pièces d'autos de Transbec à Taïwan avait démarré dans un poulailler, ils ont bien ri tous les deux.

Au fil des ans, un lien solide s'est tissé entre la famille Arcaro et celle des Deaudelin. Quand le premier fils de Pierre Deaudelin est né, Dominic Arcaro fut certainement un des premiers à en être informé :

– Quel prénom vas-tu lui donner? a demandé Dominic Arcaro à son ami.

– Si tu m'achètes pour 1 000 $ de pièces aujourd'hui même, mon fils portera ton prénom.

C'est ainsi que le fils aîné de Pierre Deaudelin porte le prénom d'un des premiers clients de son père. Cette confiance mutuelle que se manifestaient les deux débutants est toujours là.

Dominic Arcaro et Pierre Deaudelin s'aiment et se respectent. Leur histoire de famille et d'affaires a grandi ensemble et en parallèle. Même si l'un est devenu un géant dans le domaine des pièces d'automobiles, ils partagent toujours le même cœur, celui d'une confiance mutuelle et d'une intégrité indéfectible.

Une clientèle féminine

Rocco Arcaro est chaleureux. Il a un sens inné des relations humaines. Il a appris son métier dès son plus jeune âge dans le garage familial. Depuis, il est devenu, semble-t-il, un mécanicien exceptionnel. Tout comme son père et ses oncles, il est devenu un spécialiste des voitures européennes. Au fil des ans, la clientèle du dépanneur du coin s'est beaucoup transformée :

– Notre clientèle, aujourd'hui, est à 80 % féminine.

Même si je connais peu de chose dans les pièces d'automobiles, je peux cependant lui faire remarquer que beaucoup de femmes se sont rendu compte, au fil des ans, que certains garages, donc certains garagistes, certains mécaniciens, les arnaquaient. Car, c'est bien connu, les filles jouaient, quand elles étaient petites, avec des poupées plutôt qu'avec des autos.

Plusieurs femmes, aujourd'hui, achètent comme les hommes des « images de marque » et conduisent des voitures de luxe. Comme elles n'y connaissent pas grand-chose au ronronnement des moteurs, aux freins, etc., elles aimeraient acheter aussi de la « confiance », de l'intégrité, ce qui ne se retrouve pas nécessairement au petit garage du quartier.

La famille Arcaro a prospéré dans son pays d'adoption parce qu'elle partage les mêmes valeurs que Pierre Deaudelin depuis ses débuts en affaires :

1. l'honnêteté,
2. la qualité du service,
3. la satisfaction de sa clientèle, qui se tisse au fil des ans.

Le garage Arcaro & Frères est toujours situé au même endroit, à la pointe est de l'île de Montréal.

Il n'y a plus de poules dans la cour.

Les yeux de Rocco sont d'un bleu flamboyant.

Je demande à son père, Dominic, d'enlever ses verres fumés afin de vérifier s'il a le même regard azuré que son fils.

Il me répond :

– Je ne peux pas! J'ai eu un accident!

Avec humour, Rocco, assis dans l'escalier qui sépare le bureau du garage, rétorque:

– Moi, je viens du laitier!

Et tout le monde rit.

Je saisis soudainement ce qui a présidé au succès de l'un et de l'autre de ces deux débutants qui sont toujours amis, des années et des années plus tard: les liens du cœur.

Le père et le fils me raccompagnent à ma voiture:

– Pierre Deaudelin a prospéré. Il est devenu le plus grand distributeur indépendant de pièces d'automobiles au Canada et peut-être même à l'étranger. Nous avons prospéré, nous aussi. Il n'y avait que deux portes de garage quand nous avons acheté la bâtisse. Grâce à Pierre Deaudelin, notre inventaire de pièces d'autos s'est multiplié par rapport à nos débuts. Ce qui n'a jamais changé, c'est que nous l'aimons et qu'il nous aime depuis plus de 30 ans.

Une invention qui a changé le monde

Le monde de l'automobile a révolutionné nos habitudes de vie en changeant, entre autres, notre rapport à l'espace, favorisant les échanges économiques et culturels. Depuis la Seconde Guerre mondiale, la prolifération de l'automobile a entraîné des changements sociaux aux quatre coins du monde, donnant naissance à des infrastructures (larges routes et autoroutes, stationnements intérieurs et extérieurs, etc.) que l'on n'aurait jamais imaginées à la fin du XIXe siècle.

En 1907, on dénombrait 250 000 automobiles, et, à peine sept ans plus tard, ce chiffre doublait. L'automobile a remplacé le cheval du cowboy, celui du laitier et aussi ceux des carrosses princiers.

Quand Pierre Deaudelin a fait son entrée dans ce domaine, à l'âge de 22 ans, on pouvait compter 300 millions d'automobiles sur les routes. En 2007, la production annuelle mondiale de voitures se chiffre à 70 millions, et on estimait déjà que le parc dépasserait le milliard d'unités avant la fin de l'année 2010.

Comme la radio, le téléphone, la télévision ou le réfrigérateur, l'automobile semble devenue indispensable dans tous les pays industrialisés, malgré la crise des énergies fossiles et le réchauffement climatique.

Chez nous, au Québec, l'automobile s'inscrit dans l'histoire de l'évolution de la famille et de la société. Michel André, le propriétaire de l'entreprise Pièces d'auto Jean-Guy André ltée, située dans la région de Gatineau, raconte :

– En 1971, mon père était ce que l'on nommait à l'époque un *wagon jobber*, tout comme Pierre

Deaudelin à ses débuts. Ma mère faisait la comptabilité. Puis, peu à peu, le marché se développant davantage, ses beaux-frères sont venus leur donner un coup de main, et c'est ainsi que l'entreprise a progressé au fil des ans. C'est un secteur exigeant ! Très exigeant même, puisque le temps s'est accéléré et que les clients, pressés de plus en plus par leurs propres clients, veulent tout pour hier.

Si bien que Jean-Guy André a fait une dépression grave en 1990 et que son fils, qui faisait ses études en administration, est venu prêter main-forte à ses parents.

– L'entreprise, qui avait démarré dans le sous-sol de la maison familiale et qui avait débordé dans le hangar, a dû bâtir un magasin de 16 000 pieds carrés avec un plafond de 22 pieds en 1994. Les nouveaux voisins acceptaient de moins en moins d'habiter à côté d'une compagnie en expansion dans un quartier résidentiel.

En 2000, peu après le décès de son père et après avoir obtenu un baccalauréat en administration, Michel André a racheté l'entreprise familiale.

– L'entreprise n'est pas moins exigeante aujourd'hui, explique Michel André, qui doit s'occuper aussi de ses 46 employés. Nos employés sont aussi importants que nos clients, il faut prendre le temps de les écouter.

Son chiffre d'affaires s'élève aujourd'hui à plusieurs millions de dollars, mais il doit cependant soutenir un inventaire de deux millions de dollars.

– Je vais au gym à 5h tous les matins, pour être en forme et soutenir autant ma santé que celle de mon entreprise, dit-il.

Michel André a un fils de 16 ans. Assurera-t-il un jour la relève ?

– Je ne sais pas ! Je veux qu'il soit libre de choisir. Comme je l'ai été.

Je pourrais citer encore plusieurs garages, plusieurs entreprises du Québec dont le chiffre d'affaires a augmenté au rythme de l'évolution de Transbec. L'histoire de cette entreprise s'inscrit dans l'histoire du Québec et des autres provinces canadiennes. Transbec est même devenue un joueur important sur le marché international.

Perspectives d'avenir

Le chemin ne finit pas. Plus on avance,
plus la route s'ouvre à nos yeux.

Henri Miller

Pierre Deaudelin n'a eu de cesse de répéter que le succès ne concerne jamais qu'un seul homme. On comprend mieux ce qu'il veut dire après avoir questionné quelques clients, visité quelques entreprises et rencontré quelques représentants, particulièrement ceux de la première heure.

J'ai compris lentement que, si les hommes de cette industrie qualifient Pierre Deaudelin de « pur-sang », de « cheval sauvage », c'est sans doute parce que, dans cette nouvelle mythologie, l'automobile a remplacé le cheval.

La planète Transbec, créée par un homme qui a connu des débuts modestes, est devenue une immense toile invisible qui ne cesse de s'agrandir au fil des ans. Pierre Deaudelin a voulu un jour changer les règles du jeu d'une industrie en réduisant la structure des multinationales pour en faire profiter la classe moyenne. C'est ainsi que la compétition a été obligée de suivre la cadence et de fournir des pièces de remplacement de qualité à un prix moins élevé.

Créer la richesse

«Créer la richesse, bâtir l'avenir…» sont des expressions qui reviennent souvent dans la bouche des politiciens d'ici et d'ailleurs. Ils savent cependant que ce ne sont pas eux qui sont capables de le faire. Ce sont des entrepreneurs visionnaires qui créent des entreprises favorisant l'enrichissement de tout un chacun.

Ce n'est pas le gouvernement qui a bâti la richesse en Chine, il l'a seulement favorisée : ce sont des entrepreneurs qui se sont associés à des gens comme Pierre Deaudelin qui bâtissent la richesse. Des hommes qui sont motivés, tout comme lui l'était, à grandir et à faire prospérer tous ceux qui font affaire avec eux.

À l'été 2010, une jeune Chinoise est venue passer quelques semaines au siège social de Transbec pour faire une immersion en anglais afin de se familiariser avec la terminologie se rapportant à tous les nouveaux produits de la compagnie. Angel (c'est le nom occidental qu'elle s'est donné) est habillée à l'américaine, sourit tout le temps, parle le cantonais, le mandarin et quelques dialectes des dix provinces où sont bâties les principales usines de Transbec. Elle apprend aussi le français. Angel est la principale interprète de Pierre Deaudelin depuis quelques années.

Originaire de Wuhan, une ville de la province de Hubei, située au centre de la Chine, elle est la femme la mieux payée de son canton. Son fils grandira et se fera instruire un jour dans les meilleures universités de Chine, d'Amérique ou d'Europe.

Le soir, pendant son séjour au Québec, elle communique avec son petit garçon de trois ans au moyen de son ordinateur portable. Il voit sa maman et elle le voit. Elle interrompt notre conversation parce que son fils veut parler à Pierre Deaudelin. Il a appris à chanter en français : « Savez-vous planter des choux… à la mode, à la mode… »

Bien que les stratégies d'avenir d'une entreprise demeurent habituellement secrètes, je peux glisser un mot aux lecteurs au sujet de l'aventure du « dragon Pierre Deaudelin » en Chine et ailleurs.

Quand j'ai commencé à écrire la biographie de Pierre Deaudelin, Transbec était en train de bâtir plusieurs centres de dépôt, notamment sur la Rive-Sud de Montréal, dans les Maritimes et à Toronto.

Quand je l'ai terminée, d'autres centres étaient nés, notamment dans les villes de Québec et de Halifax.

Ouvrir un entrepôt en Chine est aussi un projet à l'étude depuis deux ans chez Transbec. Sa vitrine de distribution sera donc ultimement installée dans l'une des plus grandes mégapoles au monde : Shanghai, qui compte déjà 20 millions d'habitants. De plus, cette ville est un port important situé sur la rivière Hangpu, près de l'embouchure du Yangzi Jiang, le plus long fleuve d'Asie et au troisième rang, pour la longueur, après l'Amazone et le Nil.

Cette expansion est stratégique pour Transbec, qui doit coordonner le travail des 200 usines bâties dans dix provinces différentes. De plus, il y a de plus en plus d'automobiles qui circulent en Chine. Ses ponts, ses autoroutes à huit voies peuvent en accueillir encore des millions. Si l'on se fie au chroniqueur Jacques Duval, d'ici 10 ans, des voitures performantes seront manufacturées en Chine à des coûts plus bas que tout ce que nous pouvons trouver présentement sur le marché.

Le pouvoir d'indignation

Pierre Deaudelin s'était indigné tôt du fait que la classe moyenne canadienne, en achetant des pièces d'autos chez les grandes compagnies aux États-Unis, payait des salaires exorbitants et des bonis à des présidents et à des vice-présidents d'entreprises, sans oublier les redevances distribuées aux actionnaires. En bâtissant en Chine, en s'associant à des partenaires très motivés à réussir, il a changé les règles du jeu d'une industrie qui avait été longtemps abusive envers sa clientèle. La classe moyenne d'ici et d'ailleurs en profite toujours aujourd'hui.

En Orient, ses partenaires et ses employés ont grandi avec lui. Au début de sa carrière de manufacturier sur l'autre continent, il était souvent bouleversé par les conditions des travailleurs en Chine. Peu à peu, là comme ici, il a élevé les standards de qualité non seulement en ce qui concerne les pièces usinées pour Transbec, mais aussi pour les hommes et les femmes qui travaillent à les fabriquer. De sorte que le respect envers les humains ainsi que des salaires et un climat de travail différent s'installent progressivement sans jamais heurter la tradition.

C'est dans cette perspective que se poursuit le long pèlerinage de Pierre Deaudelin, qui ne savait ni lire ni écrire, mais qui a appris très tôt à compter.

– À l'école, les professeurs disaient: « Deaudelin, t'es bon seulement pour copier ! » J'ai copié des pièces d'autos. C'est ainsi que j'ai réussi, dit-il en riant !

Le tableau du grand-père Elphège Deaudelin, peint par Adrien Arcand.

Le siège social de Transbec à Laval.

RUSSIA
KAZAKHSTAN
MONGOLIA
KYRGYZSTAN
NEPAL
INDIA
BURMA
VIETNAM
LAOS
HEILONGJIANG
JILIN
LIAONING
NEI MONGOL
XINJIANG
GANSU
QINGHAI
XIZANG (TIBET)
HEBEI
SHANXI
SHANDONG
NINGXIA
SHAHNXI
HENAN
JIANGSU
ANHUI
HUBEI
CHONGQING
SICHUAN
ZHEJIANG
JIANGXI
HUNAN
GUIZHOU
FUJIAN
YUNNAN
GUANGXI
GUANGDONG
Beijing
Longkou
Laizhou
Taiyuan
Nanjing
Shanghai
Yuyao
Ningbo
Wuhan
Wenzhou
Taipei
Taichung
TAIWAN
Tainan
Kaohisung
Hong Kong
Guangzhou

La famille reconstituée de Transbec avec son président, Pierre Deaudelin (au centre) avec les cadres de sa compagnie et leurs employés.